LE SECOND SOUFFLE
suivi du
DIABLE GARDIEN

Philippe Pozzo di Borgo est directeur des champagnes Pommery lorsqu'en 1993 une terrible chute de parapente le laisse tétraplégique. Héritier de deux grandes familles françaises, il découvre l'exclusion à la suite de cet accident. En 2001, il publie *Le Second Souffle*, témoignage bouleversant sur sa nouvelle vie, qui a inspiré le scénario du film *Intouchables*.

PHILIPPE POZZO DI BORGO

Le Second Souffle

suivi du

Diable gardien

BAYARD

Si vous souhaitez joindre l'auteur, voici son adresse
électronique : pozzo51@hotmail.com

© Bayard, 2011.
ISBN : 978-2-253-16746-4 – 1re publication LGF

À mes enfants,
« pour que l'œuvre continue ».

Préface à la nouvelle édition

Olivier Nakache et Éric Toledano, les réalisateurs du film *Intouchables*[1], me contactent un jour de janvier 2010. Ils avaient vu, il y a quelques années déjà, un documentaire d'une heure, réalisé par Jean-Pierre Devillers pour Mireille Dumas. *À la vie, à la mort*[2] retraçait la rencontre improbable du riche privilégié tétraplégique que je suis, et du jeune beur de banlieue, Abdel. Contre toute attente, ces deux vont s'entraider des années durant. Cette histoire intéresse nos deux cinéastes.

Mon épouse Khadija et moi-même les accueillons dans notre résidence d'Essaouira, avec les acteurs pressentis : Omar Sy et François Cluzet.

Nous nous sommes vus de nombreuses fois et j'ai suivi avec délectation l'élaboration de leur scénario.

---

1. Ce film réalisé par Éric Toledano et Olivier Nakache, avec François Cluzet et Omar Sy (2011), s'inspire de l'histoire d'Abdel et de moi-même.
2. Tourné en 2002.

Mon premier livre, *Le Second Souffle*[1], aujour-d'hui épuisé, avait connu un certain succès d'estime. Frédéric Boyer, le directeur éditorial des Éditions Bayard, me propose de le rééditer à l'occasion de la sortie du film *Intouchables*, réactualisé par une nouvelle préface, et de le compléter par un texte inédit.

Le Diable gardien prolonge donc l'histoire du *Second Souffle* (qui se termine en 1998) jusqu'à ma rencontre avec Khadija au Maroc en 2004 ; cette période correspond au scénario du film *Intou-chables*. Les contraintes du long métrage et leur imagination les amenèrent à simplifier, modifier, élaguer ou inventer de nombreuses situations.

« Intouchables », nous le sommes tous deux à plusieurs titres. Abdel, de souche maghrébine, s'est senti marginalisé en France – telle la classe des intouchables en Inde ; on ne peut pas le « tou-cher » sous peine de prendre un coup et il court tellement vite que les flics – pour reprendre son expression – n'ont réussi qu'une seule fois à le coincer dans sa longue carrière de mauvais garçon. Pour ma part, derrière les hauts murs qui cer-nent l'hôtel particulier à Paris – ma prison dorée comme dit Abdel –, à l'abri du besoin par ma fortune, je fais partie des « extraterrestres » ; rien ne peut m'atteindre. Ma paralysie totale et l'absence de sensibilité m'empêchent de toucher quoi que ce soit ; les gens hésitent à m'effleurer

---

1. Bayard Éditions, 2001.

tant ma condition les effraie et on ne peut me toucher l'épaule sans déclencher d'épouvantables douleurs.

« Intouchables », donc.

Me voilà confronté à un défi insensé : revenir sur ce passé.

Une évidence s'impose : je ne m'en souviens pas ! J'ai tout d'abord imputé cela à l'absence d'Abdel, mon aide de vie. À la réflexion, c'est plus grave. Hormis quelques épisodes mal situés dans le temps, ma mémoire se refuse à l'exercice. Le souvenir est le luxe des nantis bien portants. Pour un miséreux ou un souffrant, la mémoire s'arrête au présent, dans la difficulté d'assurer sa pitance ou sa survie. La madeleine de Proust ne peut être qu'une fixation de dandy de la bonne société.

De 1998 à 2001, lors de la rédaction du *Second Souffle*, tenaillé par le chagrin de la mort récente de Béatrice et les douleurs neurologiques[1], j'exprime déjà la difficulté de recoller les instants de mon passé. La souffrance tue la mémoire. Les valides vieillissent en accumulant les histoires et les regrets ; je suis lisse de tout souvenir.

---

1. Environ un tiers des tétraplégiques souffrent de dérèglements neurologiques qui se traduisent par des brûlures fantômes, plus ou moins fortes selon les individus, leur condition et les facteurs climatiques. J'ai tiré le gros lot : depuis près de vingt ans, j'oscille sans interruption sur l'échelle de douleur entre 6 et 9,5/10. À 10, on n'est plus de ce monde !

Une autobiographie est déjà truffée d'oublis et de mensonges, délibérés ou par omission, raconter l'histoire d'un autre – en l'occurrence Abdel – ne peut que donner « une impression de l'autre », un pointillé avec de nombreux blancs.

Comment voulez-vous que l'aristo bien élevé que je suis censé être, respectueux de certains principes, puisse s'exprimer à la place d'un Abdel, à l'époque révolté et hostile à toute norme ? Je ne peux que relater les événements, essayer de les analyser. Une part de sa vérité m'échappe ; Omar Sy – qui l'interprète à l'écran – s'en approche avec plus d'aisance.

Je voulais écrire un livre qui ne soit pas un simple divertissement.

Je ne voulais pas faire du malheur un portrait « réaliste », avec sa dose de ressentiments et bons sentiments qui confinent à la condescendance. Pas non plus d'optimisme de commande, dérisoire mensonge.

Ces vingt ans de proximité avec le monde des exclus ont aiguisé mon regard sur la société et ses maux et m'incitent à partager quelques remèdes qui me sont devenus évidents.

Grâce au diable gardien – alias Abdel – je retrouve l'humour qui était le mien avant les drames. Le film *Intouchables* se déroule sur un tempo de légèreté et d'éclats de rire ; une certaine gravité me reste, irréductible. François Cluzet la rendra perceptible par son jeu.

Éric et Olivier, les réalisateurs, Nicolas Duval Adassovsky, leur producteur, et Frédéric Boyer, mon éditeur, octroyèrent de généreux droits d'auteur à l'association « Simon de Cyrène[1] » que j'ai longtemps présidée, dont l'objet est de créer des lieux de vie partagés pour adultes handicapés et amis. Qu'ils en soient remerciés.

Je remercie également Émeline Gabaut, Manel Halib et notre fille Sabah qui m'ont permis de « reprendre » la plume et sans qui ce livre n'aurait pas vu le jour. Merci aussi à Soune Wade, Michel Orcel, Michel-Henri Bocara, Yves et Chantal Ballu, Max et Marie-Odile Lechevalier, Thierry Verley, pour leur relecture pertinente.

1. Envoyez vos dons à Simon de Cyrène : 12, rue de Martignac, 75007 Paris. Tél : 01 82 83 52 33. www.simondecyrene.org

Livre I

LE SECOND SOUFFLE

Mémoires délivrées

Faut-il partir d'aujourd'hui, triste jour, revenir avec nostalgie sur le passé, se lamenter sur un avenir sans espoir ? Je ne peux ni apprécier le passé, ni me projeter dans l'avenir. Tout est dans l'instant.

La ligne de fracture de mes os, de mes souffles, pourrait être le jour de l'accident. Le 23 juin 1993, j'ai basculé dans la paralysie.

Le 3 mai 1996, jour de la Saint-Philippe, Béatrice est morte.

Je n'ai plus de passé, je n'ai pas d'avenir, je suis une douleur présente. Béatrice n'a plus ni passé ni avenir, elle est un chagrin présent. Pourtant, il y a un futur, celui de nos deux enfants, Laetitia et Robert-Jean.

Jusqu'à mon accident, j'étais un homme dans le monde, soucieux d'imprimer ma marque sur le cours des choses, de créer.

Après l'accident, les pensées m'assaillent. Après la mort de Béatrice, les douleurs.

De ces décombres me sont revenus en mémoire des souvenirs d'une noire opacité. Dans mes nuits de café, les brûlures du handicap et du deuil ont brouillé ces images.

C'est au fond de moi que j'ai retrouvé le reflet des absents. Mes silences ont fait resurgir des moments de bonheurs oubliés. Ma vie se déroule d'elle-même en une succession d'images.

Les premiers mois, une trachéo[1] me rendait muet. Un ami m'avait installé un écran informatique et l'avait relié à une commande placée sous ma tête. L'alphabet défilait sur l'écran ; j'arrêtais le curseur, une lettre s'affichait. Petit à petit, ces lettres formaient un mot, une phrase, une demi-page. Le choix des mots et cet effort exténuant furent délicieux ; je n'avais pas droit à l'erreur. Le poids de chaque lettre ancrait plus profondément la phrase ; je savourais l'exactitude.

Il y eut ce camarade de combat dont les clignements d'yeux furent le stylo et qui mourut au point final[2].

Les mots m'étranglent quand je pense à ceux qui sont morts sans parler, sans témoigner, sans espérer, dans leur solitude.

---

1. Trachéotomie : perforation de la trachée pour brancher une machine à respirer.
2. J.-D. Bauby, *Le Scaphandre et le Papillon*, Pocket, 1998.

Allongé dans mon lit, la nuit, je dors mal. Je suis paralysé. Plus tard, ils m'ont placé un magnétophone sur le ventre. Il s'arrête quand il n'entend plus rien – ou quand il le désire – et ne redémarre qu'après le premier mot. Je ne sais jamais si j'ai été enregistré. Et souvent, je suis en panne.

C'est dur de dire sans page blanche, sans crayon pour raturer, de ne pas être assis à une table, devant une feuille, le front pris dans la main gauche, de ne pas pouvoir se laisser aller sur cette feuille noircie, froissée. Seule une voix presque disparue se fixe sur une bande magnétique, sans retour, sans rature. Instantané d'une mémoire hésitante.

J'ai perdu le fil, il fait noir et j'ai mal. Ma tête rentre dans mes épaules. Le haut de l'épaule droite m'élance comme un coup de poignard. Je suis obligé de m'arrêter. Le chat, Fa dièse, s'amuse à bouger sur mon corps qui vibre, s'arc-boute, comme s'il implorait le ciel. Tremblant de contractures, je m'effondre. Le chat se joue de ce corps, il y passe toute la nuit : il a besoin de se sentir vivre par mes soubresauts.

Du haut de mes épaules jusqu'au bout de mes membres brûle un feu continu qui trop souvent s'amplifie. Je peux dire s'il fera beau demain ou si au contraire, comme le laisse présager la brûlure de mon corps, nous aurons de la pluie. Je sens intensément une morsure sur les mains, les fesses, le long des cuisses, autour des genoux, dans le bas des mollets.

On m'écartèle, dans l'espoir de me soulager. Mais la douleur subsiste. Ils l'appellent « douleur fantôme ». Fantôme de mes... couilles ! Je pleure, non de tristesse mais de douleur. J'attends que les larmes m'apaisent. J'attends l'abrutissement.

Le soir à la chandelle, nous nous aimions dans les chuchotements. Tard, elle s'endormait dans le creux de mon cou. Je lui parle encore sans écho.

Parfois, malade de solitude, je fais appel à Flavia, une étudiante en cinéma. Elle a un grand sourire, une bouche somptueuse, le sourcil gauche interrogateur.

À contre-jour, vêtue d'une longue robe bleue et légère, elle ignore qu'elle est découverte, que ses vingt-sept ans de contours peuvent encore émouvoir un fantôme. Je lui dicte tout, je n'ai pas de pudeur, elle est transparente.

Le chat reprend sa place sur mon ventre. Quand il se tourne, mon corps se raidit, comme révolté par la présence de cet animal, l'absence de Béatrice et cette incessante souffrance.

Il faut pourtant que je parle des bons moments, il faut pourtant oublier que je souffre.

J'aimerais commencer par les derniers instants, fin prévisible et parfois souhaitée, qui me feraient rejoindre Béatrice. Je quitte ceux que j'aime pour retrouver celle que j'ai tant aimée. Même si son paradis n'existe pas, je sais qu'elle y est parce qu'elle y croyait et que je le veux. Nous voici, allégés de nos souffrances, enlacés dans un élan ouaté, les yeux clos pour l'éternité ; les cheveux blonds de Béatrice frémissent dans un bruissement d'ailes soyeuses.

Béatrice qui êtes aux cieux, sauvez-moi.

Mes sens

J'ai été quelqu'un. À présent, je suis paralysé ; une partie de mes sens s'est échappée. Pourtant, aux atroces morsures de la paralysie se mêlent les mémoires délicieuses de mes sens évaporés.

Se remémorer, centimètre par centimètre, souvenir après souvenir, les perceptions d'un corps atomisé, c'est déjà survivre.

À partir de mon immobilité actuelle, reconstituer une chronologie dans un chaos de sensations défuntes, c'est me réapproprier le passé, raccorder deux vies jusque-là dissociées.

*

Le corps s'embrase en une confuse rougeur. Son souvenir même m'engourdit. Il n'y a plus d'esprit ; seules m'envahissent les sensations lointaines. Dans le soleil éclatant de Casablanca, j'ai sept, huit ans peut-être. Mes frères et moi fréquentons l'école religieuse Charles-de-Foucauld. Pendant les récréations, certains enfants jouent au ballon au centre de la cour, soulevant une poussière qui leur colle aux jambes, aux bras et teinte du même lait les shorts et les chemises bleu marine. D'autres enfants se répartissent le long des murs en groupes de marchands ou de joueurs. Je suis marchand ; Alain, mon frère jumeau, qui vise très bien, est joueur. Il s'agit, pour le joueur, de toucher avec un noyau d'abricot le noyau placé entre les jambes du marchand. Je prends un emplacement le long du mur d'enceinte, face au soleil du matin. J'aime à me faire croustiller par le soleil. J'attends le tir, les yeux mi-clos fixés sur mon noyau. Je compte jusqu'à trois. Frisson de plaisir. Engourdi par la poussière tiède de la cour, je ferme les yeux. Lorsque je reviens à moi, ma classe est rentrée ; de nouveaux élèves jouent. Je me lève, paniqué, enferme ma réserve de noyaux dans un mouchoir. Je cours de plus en plus vite, le corps en feu. Pour la première fois, je sens une étrange chaleur entre les jambes. Est-ce le frottement ou la peur de la méchante maîtresse ? Toujours est-il qu'il se passe quelque chose là, en bas. Je frappe à la porte, éperdu, la maîtresse aboie et je reste planté dans l'entrebâillement.

*

Je m'empourpre encore, seul dans mon lit, à l'évocation de ces premières émotions.

*

Un peu plus tard, nous sommes en Hollande. Mon père travaille pour un groupe pétrolier anglo-hollandais. Mes frères, notre petite sœur Valérie, Christina, la gouvernante, et moi habitons au premier étage. Christina est très belle avec ses cheveux roux, ses yeux verts et des taches de rousseur que je découvre le long de son corps dénudé. C'est l'époque des minijupes. Elle repasse le linge sur le palier. Je reste longtemps à l'observer ; je ressens à nouveau cette gêne sous la ceinture, je rougis et n'ose baisser le regard sur mes horribles shorts anglais de flanelle grise. Les yeux de Christina se sont-ils plissés ? Je suis perdu. La perfide fait un mouvement extraordinaire : elle contourne la table de repassage pour venir de mon côté, me tourne le dos, plonge en avant ; est-ce vraiment pour ramasser quelque chose ? Si j'avais su, si j'avais pu, je l'aurais prise telle quelle. Mais je reste les bras ballants, le souffle court, et le reste moins court ! La vue de ce postérieur exposé dure une éternité.

J'ai regardé des photos d'elle beaucoup plus tard. Je l'ai trouvée moins belle avec ses dents écartées, sa chair molle, ses genoux osseux. Tout est question de perspective !

*

Pendant la nuit, j'ai respiré profondément pour me dégager des douleurs qui m'isolent. Des images, belles de simplicité, me sont revenues à l'esprit. La souffrance reste.

*

J'ai quinze ans. Je veux impressionner mes camarades. J'entre dans une pharmacie comble de monde. Quand vient mon tour : « Je voudrais une boîte (et en chuchotant) de préservatifs. » La pharmacienne me demande de répéter. Coincé et déjà rouge, je m'exécute. « Petite, moyenne ou grande ? » ajoute-t-elle, goguenarde. Je m'enfuis.

Elle parlait bien sûr de la taille de la boîte.

*

Un rire remonte dans ma gorge ; une contracture lui répond ; le magnétophone glisse de mon thorax. Un silence découragé s'installe. Il faut se reprendre, se reconstruire.

J'appelle Abdel, mon assistant. Il réinstalle le magnétophone. Ma voix sourde, nouvelle et étrangère, procède à l'enregistrement. Même mon identité s'effrite dans cette voix variable. Je n'ai plus de muscles pectoraux. Il n'y a ni intonation ni ponctuation. Seuls les mots pour lesquels je parviens à accumuler suffisamment de souffle s'impriment sur la bande magnétique.

*

J'ai dix-sept ans. Nous sommes aux sports d'hiver. Alain, mon jumeau, a déjà sa « poule ». Il y a des garçons, et il y a les filles ; je n'ai jamais autant rougi en leur présence. Après avoir dîné, nous nous entassons devant un feu de bois avec du vin, des chansons et une guitare. Une fille

s'assied à mon côté. Elle s'appuie contre moi et
pose la tête sur mon épaule. C'est une amie de la
copine d'Alain ; elle est plus âgée, née au Viêtnam
dans une famille de colons français. Ses yeux sont
bridés, et sa peau, mate. Elle rit et se rapproche
encore. Je sens maintenant son odeur poivrée.
J'essaie de disparaître dans les flammes de la cheminée ; mais rien n'y fait. La chaleur du désir
m'envahit. J'ai envie de cette fille. Lorsque, au
moment de la retraite, elle m'attire dans la seule
chambre isolée dotée d'un petit lit contre le mur,
je la suis sans me retourner. Cela fait déjà quelques
années que je rêve de ce moment. Elle se dévêt
sans grâce, se couche sur moi. Je dois être gauche
car elle sourit. Puis, elle rit : « Mais tu n'as pas
enlevé ton caleçon ! » Elle m'aide. Nous restons
quelques mois ensemble.

*

Malgré ma paralysie, mes sens absents me
jouent encore des tours.

Je sors pour la première fois du centre de rééducation de Kerpape, sur la côte bretonne. Béatrice
pousse mon nouveau fauteuil jusqu'à un petit café
en face de la plage. Elle est assise devant moi.
Derrière elle, les planches à voile sautent sur les
vagues. Le ciel est gris. La transpiration glace ma
nuque, mais je ne veux pas quitter la chaleur du
visage de Béatrice près du mien. Comment peut-
elle encore garder son regard de jeune amoureuse
pour l'ombre de celui qu'elle a aimé ?

Je tousse, puis je crache. Inquiète, elle me ramène au centre de rééducation. L'infirmière diagnostique une infection pulmonaire. Je retourne pour la deuxième fois en réanimation, à l'hôpital de Lorient, la gorge ouverte par une trachéo. Une batterie de bouteilles distille son poison. Les veines de mon bras gauche cèdent sous la pression. Ils l'enveloppent jusqu'au coude d'un coton imbibé d'alcool ; cela m'enivre. Je suis dans une salle sans fenêtre. Il doit faire nuit. Il n'y a pas d'infirmière. Les lumières rouges, vertes et blanches des machines clignotent. Je disparais. Quand survient cette agréable sensation. Voici près d'un an que je n'avais pas senti ce délicieux désir d'une étreinte sans fin avec Béatrice. Les images de nos corps confondus me submergent. Soudain, le néon m'aveugle : Béatrice s'est penchée sur moi. En quelques minutes, elle a compris l'émotion qui me gagne et que lui indiquent mes clignements d'yeux ; je lui demande d'en informer le médecin. Elle rit, court dans le couloir. Le médecin revient avec elle, énervé. Il ausculte l'objet du fou rire. Négatif. Émotions fantômes. Dors, mon ange.

Le cul de l'ange

Au réveil, c'est le TR[1]. Ensuite, la douche.

Tout est noir. Je n'existe presque plus. Il n'y a ni corps, ni son, ni sens, excepté peut-être la sensation d'un air tiède qui glisse dans mes narines. Tout à coup, ça bascule. C'est reparti. Ma tête tombe en avant. J'entends l'eau de la douche, je la sens sur mon visage. J'ouvre les yeux. Peu à peu, une image apparaît : Marcelle, l'immense Martiniquaise à la voix douce, tient mes jambes sur ses épaules. Elle sourit : « Alors, monsieur Pozzo, on revient ; cette fois-ci, je n'ai pas eu à vous mettre de gifles ! » Mon bras droit a perdu ses appuis, je

---

1. Toucher rectal : le matin, la première étape après avoir vidé mon sac à urine est de me mettre sur le flanc, de passer un gant, d'enduire l'index de crème et de me l'enfiler là où vous savez. Je suis né le cul bordé de spaghettis mais là, vraiment, elles en abusent. Je ferme les yeux pendant que toutes me fourragent. Merci à toutes les Marcelle, Berthe, Pauline, Catherine, Isabelle, Sabrya, Sandrine... pour leur doigté et leur gentillesse. Je suis celui qu'on maintient en vie du bout de son index.

suis affalé sur le côté de mon siège-douche. Il est percé.

Je suis presque nu. Reste ce sac à urine qui pend au bout d'un long tuyau accroché à mon pénis par une sorte de capote. Ils appellent ça un pénilex. C'est pénible et pas sexe.

Je ne peux rester assis. Pour que je survive, il faut serrer l'immense ceinture abdominale et enfiler les épais bas de contention qui me recouvrent des doigts de pied jusqu'aux fesses, afin qu'un peu de sang me reste dans le cerveau. Lors de mes évanouissements, je deviens un ange du noir ; l'ange ne sent rien. Quand je reviens dans la lumière, les jambes en l'air, avec ou sans claque, la souffrance m'envahit et l'éclat de l'enfer me fait pleurer.

En américain, on épelle mon nom PI-Ô-ZI-ZI-Ô. Le Pozzo n'a plus de zizi. Je deviens Pise, toujours en train de pencher d'un côté ou de l'autre.

Marcelle, l'aide-soignante, appelle Abdel, mon assistant, pour me poser sur le lit. Il dégage mes jambes des repose-pieds, s'incline jusqu'à ce que sa tête touche mes poumons, cale mes genoux contre les siens, m'enserre le bas du dos avec ses bras vigoureux. Hop ! Il bascule en arrière et je me retrouve debout dans le reflet des volets encore fermés. J'ai été beau ; il ne reste pas grand-chose. Le sang file dans les doigts de pieds ; je redeviens

ange. Abdel me couche sur le matelas antiescarre[1].
Marcelle entame ce qu'elle appelle en souriant « la
petite toilette ». Elle ôte le pénilex pour entretenir
la bête. Béatrice l'appelait « Toto », avec affection.
J'entends rire Marcelle. Toto s'est mis en érection.
Elle ne peut plus remettre le pénilex.

Au centre de rééducation de Kerpape, les tétraplégiques sont les aristocrates ; nous tenons le haut
du pavé, tellement près de Dieu. Nous regardons
les autres avec condescendance. Nous sommes
les tétras. Mais entre nous, nous sommes les
« têtards », parce que le têtard, comme le tétra,
n'a ni bras ni jambes, seule la queue frétille.

---

1. Escarre : nécrose cutanée avec ulcération.

Première partie

Enfance dorée

Je suis né le...

Je suis né le cul bordé de spaghettis, rejeton des ducs Pozzo di Borgo et des marquis de Vogüé.

Durant la Terreur, Carl-Andrea Pozzo di Borgo se détache de son ami Napoléon. Très jeune, il devient premier ministre de la Corse sous la protection des Anglais. Il doit s'exiler en Russie où il contribue, grâce à sa connaissance de « l'Ogre », à la victoire des monarchies. Carl-Andrea Pozzo di Borgo fait fortune en monnayant très cher l'influence considérable dont il jouit auprès du tsar de Russie. Tous les ducs, comtes et autres Européens, balayés par la Révolution française, le remercient grassement lorsqu'il intervient en leur faveur pour la restitution de leurs biens et de leurs fonctions. Louis XVIII dira même de Pozzo qu'il est « celui qui lui a coûté le plus cher ». Par de judicieuses alliances, les Pozzo transmettent cette galette de génération en génération, jusque dans notre siècle. On dit encore dans la montagne corse « riche comme un Pozzo ».

Joseph, « Joe », duc Pozzo di Borgo, mon grand-père, a épousé une Américaine pourvue d'or. Ses petits-enfants l'ont par la suite appelée Granny. Grand-Papa Joe racontait avec délectation les circonstances de son mariage en 1923. Granny a vingt ans. Elle entreprend de faire, avec sa mère, le tour de l'Europe pour rencontrer les grands partis. Toutes deux arrivent chez un aristocrate corse que Granny dépasse d'une tête. Dans le château de Dangu, en Normandie, par-dessus l'immense table de la salle à manger, la mère s'adresse à sa fille en américain (bien entendu, tout le monde la comprend) : « Ne trouves-tu pas, ma chérie, que le duc que nous avons vu hier a un bien plus joli château ? » Mais Granny lui préférera néanmoins ce petit Corse.

Quand la gauche arrive au pouvoir en 1936, Joe Pozzo di Borgo est mis en prison sous le motif de « participation à l'association des cagoulards », comploteurs d'extrême droite prêts à tout pour renverser la République. Il n'était en rien des leurs. Durant son séjour à la prison de la Santé, il reçoit la visite de son épouse et de quelques rares amis. « L'inconvénient, s'amuse-t-il, c'est que, lorsqu'on vous demande en prison, on ne peut pas faire dire qu'on n'y est pas... »

Le clan corse des Perfettini, qui défend nos intérêts sur l'île depuis notre exil en Russie, s'émeut de la situation du Grand-Père. Une délégation monte à Paris, armée jusqu'aux dents. Elle fait une descente à la Santé. Le patriarche, Philippe, demande au duc la liste des gens qu'il faut supprimer. Mais Grand-Père leur conseille de s'en retourner sans esclandre. En sortant, le vieux Philippe, surpris et déçu, s'inquiète auprès de la duchesse : « Le duc, il est fatigué ? »

Grand-Père cesse alors toute activité politique pour se replier dans ses domaines : l'hôtel parisien, le château normand, la montagne corse et le palais Dario à Venise. Il entretient une brillante cour d'opposants à tous les régimes. Il meurt lors de mes quinze ans. Je ne crois pas avoir jamais adhéré à une quelconque de ses si brillantes envolées. Elles me paraissaient d'une autre époque. En revanche, je me souviens d'une soirée à Paris, dans la salle de bal, toute scintillante de diamants.

Je suis enfant. Ma tête arrive au niveau des « postérieurs » de ce beau monde. Perplexe, je surprends la main de mon cher grand-père sur une croupe bien garnie qui n'est pas celle de sa légitime.

Quant à l'histoire de la famille de Vogüé, elle remonte à la nuit des temps. Comme dit Grand-Père Pozzo à Grand-Père Vogüé (ces deux patriarches se détestent) : « Au moins, nos titres à nous sont tellement récents que nous pouvons prouver qu'ils sont vrais !... » Robert-Jean de Vogüé ne relève pas.

Le grand-père Vogüé, officier de carrière, a fait les deux guerres mondiales : la première à l'âge de dix-sept ans, la seconde comme prisonnier poli-

tique à Ziegenhain, en tant que N.N.[1]. C'est un
homme courageux, aux convictions profondes.
Fidèle descendant des chevaliers, il conçoit les pri-
vilèges dont il a hérité comme une contrepartie
des services rendus à la société : au Moyen Âge, la
défense ; au XXᵉ siècle, le développement écono-
mique. Il épouse la plus belle fille de sa génération,
l'une des héritières des champagnes Moët et Chandon. Dans les années vingt, il quitte la carrière
d'officier pour devenir le patron de cette société
de champagnes, qu'il dirige et développe considé-
rablement, jusqu'à sa retraite en 1973. D'une
petite société familiale, il fait un empire.

Il n'obtient ces splendides résultats qu'à la force
de son caractère et de ses convictions. À la fin de
sa vie, il les rassemble dans un petit livre intitulé :
Alerte aux patrons[2]. C'est encore aujourd'hui mon
livre de chevet.

Comme il faut s'y attendre, Robert-Jean de
Vogüé est très critiqué par ses pairs. On l'appelle
même « le marquis rouge » ; ce à quoi il répond :
« Je ne suis pas marquis, mais comte. » Il ne renie
pas la couleur politique. Les financiers qui lui succèdent détruisent son œuvre. Il reste mon mentor.
Notre fils s'appellera Robert-Jean.

Mon père, Charles-André, est l'aîné des enfants
de Joe Pozzo di Borgo. Il décide de faire ses preuves
dans la vie active. On peut dire qu'il est le premier

---

1. « Nacht und Nebel » (condamné à mort en attente
d'exécution discrète...).
2. Éditions Grasset, 1974.

Pozzo à travailler. Une manière de s'opposer à son père. Il commence comme ouvrier sur les chantiers pétroliers en Afrique du Nord, puis accomplit une carrière qu'il doit à sa capacité de travail, son dynamisme et son efficacité. Son métier l'amène à vivre dans de nombreux pays, où je l'accompagne dans ma prime enfance. Quelques années après la mort de son père, alors qu'il est patron d'un groupe pétrolier, il abandonne sa carrière pour mettre de l'ordre dans les affaires familiales.

Ma chère mère a trois enfants en un an : Reynier, puis Alain et moi, onze mois plus tard. Elle déménage quinze fois durant la vie professionnelle de mon père, laissant à chaque fois tous les meubles encombrants et les quelques amis qu'elle a pu se faire. Notre père toujours en voyage, nous avons une *nanny* qui protège notre mère de nos turbulences. Je prends l'habitude, dès l'âge de la poussette partagée avec Alain, de m'asseoir sur lui. Il attendra de nombreuses années et quelques centimètres d'avantage sur moi pour me mettre une dégelée qui ne soulagera qu'une partie de ses frustrations.

*

Aujourd'hui, il me pousse, bossu dans mon fauteuil.

Ils me dominent tous. Je refuse de lever la tête.

*

À Trinidad, nous passons notre vie à jouer sur la plage, vêtus comme les indigènes avec lesquels nous nageons toute la journée. Nous apprenons à nous exprimer en « petit anglais » avant même de parler français. Le soir, nous nous battons dans notre chambre. Je garde le souvenir précis d'un jeu qui consiste à sauter sur notre lit tout en pissant sur celui du voisin.

Puis c'est l'Afrique du Nord : l'Algérie et le Maroc. Nous découvrons l'école, apprenons le français avec une demoiselle d'un âge incertain, timide, restée jeune fille. Un jour de grand vent, me cramponnant à un pylône, je vois mon frère, malingre, s'envoler. Mademoiselle s'accroche à lui pour essayer de le retenir ; en vain. La grille les arrête. Je conçois pour la première fois une certaine jalousie à l'égard de ce jumeau qui recueille l'attention des dames.

*

Je ne suis plus qu'un bon mètre quatre-vingts, cinquante kilos de matière inerte et reste de plomb. Hors service !

*

Reynier prend ses distances. Bientôt, c'est « les jumeaux contre Big Fat, la brute ». Conscient de ses responsabilités d'héritier, notre aîné n'hésite pas à profiter de sa grande taille pour nous frapper de ses très larges mains, lorsqu'il considère qu'il en va de notre éducation.

*

Maintenant, je crie, lamentable, sans pouvoir frapper ceux qui abusent de ma paralysie.

*

Après le Maroc, Londres. La *nanny* s'appelle Nancy. Je remarque le manège de Reynier auprès de cette belle brune. Il se glisse dans son lit à l'insu de mes parents et je l'entends glousser. Je tente tout pour avoir la chance d'entrer dans le lit de Nancy, sans trop bien savoir pourquoi. J'essaie même un jour d'attraper un semblant de fièvre en m'asseyant longuement sur un radiateur brûlant, pour être soigné par Nancy et peut-être finir dans son lit... Ma tentative ne peut se prolonger. Je suis victime de la trahison de mon postérieur. Les fesses et les joues en feu, je dois lever le siège.

*

Je regrette les sensations qui me prouvaient mes limites. Ce corps aux frontières incertaines ne m'appartient plus.

Désormais, la main qui me caresse ne me touche plus. Mais ces images parviennent encore à m'émouvoir, dans la brûlure omniprésente.

... bordé de spaghettis

À huit ans, je suis convoqué avec mes deux frères dans le salon parisien de Granny. Grande violoniste, elle n'a pu laisser se développer tout son talent après son mariage, Joe le duc goûtant peu le « bruit ». Elle possède un petit violon et un piano Steinway qui trône dans la salle de bal. Elle nous réunit tous les trois, Reynier, Alain et moi. L'immense piano noir me fascine, je le réclame. Alain tombe en admiration devant le violon miniature et sa complexité. Quant à Reynier, comme il n'aperçoit plus d'instruments disponibles, il se désintéresse de la musique ; ce qui lui fournit maintes occasions de nous crier ses moqueries, lorsque Alain et moi essayons de jouer en duo. Je conçois à quel point ces auditions peuvent être pénibles. Je conserve en mémoire la cuisante humiliation d'un concert donné avec Alain à son pensionnat. Je l'accompagne sur une sonatine de Beethoven. Alain entame le morceau à un bout de l'estrade pour terminer sous les huées des pensionnaires, à l'autre bout. Dès lors, je n'ai plus jamais joué en public. Aujourd'hui je ne joue plus du tout.

Granny orchestre de nombreux concerts dans la salle de bal ; j'assiste aux premières loges à ces moments musicaux de grande qualité. Plus tard, elle organise un festival musical dans notre château de la Punta qui domine Ajaccio. Béatrice est chargée de la publicité ; moi, je colle les affiches dans toute la Corse.

Ce château sert de musée et retrace la vie de Carl-Andrea Pozzo di Borgo. Je me souviens du gardien qui montre aux visiteurs la somptuosité des salons, de la bibliothèque et des chambres. Dans la bibliothèque, deux grands tableaux se font face : un de Carl-Andrea Pozzo di Borgo en majesté, triomphant, peint par Gérard ; l'autre de Napoléon, juste avant son départ pour l'île d'Elbe, le visage marqué par la déception et l'aigreur, peint par David. Le guide termine invariablement la visite en disant avec son accent corse à couper au couteau : « Et les toilettes sont d'époque. N'oubliez pas le guide ! »

Aucun Pozzo n'a résidé dans ce château. Un ancêtre l'a construit pour attirer sa femme dans l'île. Il a racheté les pierres du pavillon Marie de Médicis, enceinte du château des Tuileries avant l'incendie de la Commune en 1871.

Après un bref séjour à Ajaccio et une nuit au château, l'épouse a catégoriquement refusé de revenir dans l'île.

Le grand-père Joe préfère restaurer une vieille tour génoise qui surplombe le château de quelque deux cents mètres et se situe au cœur de l'ancien village Pozzo di Borgo. Il se rend avec plaisir dans cette tour en compagnie de Granny. Il y saisit le temps qui passe et se déploie sous ses yeux. De cette tour, on aperçoit une chapelle à flanc de montagne. Tous les membres de la famille y sont enterrés, comme y sera enterrée Granny, duchesse Pozzo di Borgo, fidèle épouse de Joe. Comme j'y serai enterré avec Béatrice.

Très tôt, mon père se forge une idée précise sur chacun de ses enfants. Il l'exprime avec brutalité, malgré sa profonde bonté. Ses jugements tiennent en quelques mots : « Reynier n'est pas doué pour les études. » Il sera interne à l'école des Roches. En France, c'est l'unique pensionnat organisé sur le modèle anglo-saxon : les aînés apprennent à leurs jeunes condisciples à se prendre eux-mêmes en mains ; le sport et les activités autres qu'intellectuelles occupent une place dominante. Reynier y étudie médiocrement, n'acquiert jamais le goût du sport, mais développe pour le dessin une passion qu'il tient de notre mère. Alain suit Reynier aux Roches « pour y faire ce qu'il pourra ». Notre père a longuement hésité sur les capacités intellectuelles de mon jumeau, qui garde un quasi-mutisme. Quant à moi, il m'envoie suivre la filière qui avait été la sienne et celle de son père, puisque je suis « le moins con des trois ». J'ai huit ans lorsqu'il m'emmène à Paris : je passe l'examen d'entrée au lycée Montaigne. Le jour des résultats, mon père me tient par la main en cherchant notre nom sur les listes. J'ai droit à un « C'est bien » : je suis admis. Je quitte donc la famille. Je ne dois

plus revoir les miens que lors des vacances sco-
laires.

Éliane de Compiègne, la sœur de mon père, son
mari, Philippe, et leurs trois enfants habitent
l'hôtel familial parisien. Ma tante m'accueille les
week-ends et les jeudis après-midi. À ces occasions, je prends le bus au jardin du Luxembourg.
Je m'installe toujours sur la plate-forme arrière. La
plus belle des récréations : les rues défilent à
travers la chaleur et l'odeur des pots d'échappe-
ment ; le contrôleur s'appuie nonchalamment à la
rampe, casquette relevée, la main sur la poire de
la sonnette d'arrêt. Les Compiègne deviennent ma
seconde famille. Ils m'installent sous les toits, dans
la buanderie. Je dors dans un lit qui se déploie en
tombant d'un placard. Je découvre une autre
France.

Philippe de Compiègne aurait pu appartenir à
l'entourage de Du Guesclin ; sa famille remonte à
cette époque. C'est un guerrier et un grand chas-
seur. Depuis son mariage, sa vie se partage entre
Paris, où il entretient une petite fabrique de car-
tonnages de luxe, et sa pauvre seigneurie de La
Chaise, un restant de hameau accroché à un château en ruine. Il parvient à y aménager quelques
pièces, qui ont tout de la tanière. Ce château se
situe au centre de deux mille hectares de forêts où
il passe la plus grande partie de sa vie à chasser
en solitaire.

Il est mort au milieu de ses animaux ; il refusait
obstinément de soigner son corps.

Il m'apprend à tirer et me donne le goût des
gardes prolongées, seul parmi les arbres. C'est

aussi lui qui m'enseigne la pêche à la mouche, autre
sport solitaire, tout d'acuité visuelle et d'élégance
du geste. L'oncle Philippe parle peu. Il lui arrive
même d'utiliser ses poings avant d'exprimer son
point de vue. En Normandie, le garde-chasse s'est
retrouvé dans ses salades, allongé par un uppercut.
L'oncle a cru percevoir chez ce brave homme un
manque de respect à l'égard de sa belle-mère, la
duchesse. Un mondain prétentieux a également fait
les frais de son caractère. L'aristocratique brutalité
de l'oncle supporte mal la bêtise de ses pairs.

En dehors de ses chasses, il ne fréquente qu'une
quinzaine de fidèles, toujours les mêmes. Ils se
réunissent au moins une fois par semaine à l'hôtel
Pozzo pour y « taper le carton ». Ils vivent la plus
parfaite fraternité. Si l'un d'eux s'entiche d'une
personne qui n'est pas son conjoint, tout se passe
avec la plus grande sensibilité, dans la plus grande
gentillesse. Les parties endiablées de gin-rummy
commencent vers cinq heures de l'après-midi. De
part et d'autre d'une longue table étroite, deux
clans de cinq à six joueurs les prolongent tard dans
la nuit. À huit heures, la partie s'interrompt. Le
dîner s'organise autour de Tante Éliane, capable
de raconter les histoires les plus salées comme si
elle ne les comprenait pas. Je n'ai jamais autant ri
que dans cette famille, avec ce groupe ! Les années
suivantes, je prends grand plaisir à ces fêtes conti-
nuelles. Tante Éliane m'initie rapidement au gin
et m'inclut dans la tablée des joueurs. Je deviens
un bon partenaire. J'ai conservé ce goût du jeu.
Chez les Compiègne, j'ai découvert ces délices de

la vie, faite d'insouciance, d'amitié solide et d'élégance d'esprit. Une atmosphère à la fois rude et sensible.

Le fils aîné, François, de deux ans mon cadet, est mon compagnon de jeux durant toutes ces années d'adolescence. Brutal et gigantesque, comme tous les Compiègne, il se montre d'une maladresse inouïe. À ce jour, il doit compter près d'une centaine de points de suture ! Je me souviens encore de parcours à bicyclette dans notre forêt de Dangu. J'ouvre la piste sur les sentiers, dévale les pentes entre les arbres et ramasse plusieurs fois François tailladé à la suite de chutes ! Adulte, il est encore cette fragile force de la nature.

*

Un jour j'ai déraillé. J'ai appris la solitude. Par la suite, je l'ai recherchée. Je voulais aller toujours plus vite, toujours plus loin, toujours plus haut. Je me sentais immortel ! Même l'avalanche qui m'emporte aux Arcs ne me laisse aucune trace ; je repars sans émoi après de nombreuses sorties de route. Pourtant, j'ai raté une marche. Je ne retrouve pas dans ma mémoire le moment où ma condition terrestre m'a rattrapé.

*

Lorsque François a douze ans, l'oncle Philippe lui offre une Citroën 2 CV de la Poste, couleur jaune orangé, achetée aux enchères du domaine public. Pendant plusieurs années, cette brave Titine est notre compagne de jeux. Dès mes quatorze ans, j'esquisse de grands dérapages dans les virages boueux de la forêt. J'ai, depuis, retrouvé des photos de cette voiture : on y voit les adolescents que nous étions, triomphants, posant, les mains dans les poches, la clope au bec, autour de notre « char ». Le monde est à nous. Nous sommes des enfants gâtés.

De ma chambre, j'ai une vue plongeante sur celle de la demoiselle qui garde les enfants de mon oncle Cecco, le jeune frère de mon père, et de son épouse, Tania – à l'écran Odile Versois. Pendant trois ans, la gouvernante est pour moi la plus belle femme du monde. Je la devine à travers la vitre opaque de la salle de bains. Elle m'accompagne le reste de la nuit dans mes songes. Un soir, fou de désir, je descends sur la pointe des pieds les deux étages qui nous séparent. Arrivé au bout du couloir, j'entre dans sa chambre. Elle va se coucher. Je vois par transparence son corps dans sa chemise de nuit. Je reste confus, éperdu. Je lui dis tout penaud : « J'ai mal à la tête. » Elle me donne une aspirine. Je remonte dans mes étages, la queue entre les jambes.

Pendant la semaine, je vis à l'école Bossuet, pensionnat tenu par des religieux tout de noir vêtus. Nous y avons messe le matin, cantine pour les repas, études surveillées le soir. Nous suivons les cours au lycée Montaigne, puis au lycée Louis-le-Grand. Je sers de temps en temps la messe, sans enthousiasme. Un matin, je vole avec quelques camarades toutes les hosties non consacrées. Nous les dévorons le temps d'arriver à notre banc. Gros succès lorsque le vieux père chanoine s'apprête à célébrer l'Eucharistie, et colle collective !

Le supérieur de Bossuet, le chanoine Garand, a plus de quatre-vingts ans. Il a été le professeur de mon grand-père, il était déjà directeur à l'époque de mon père.

Posté à une fenêtre du septième étage, muni d'une bombe à eau, entouré de mes camarades, je vise notre supérieur. Il traverse la cour. Peut-être vient-il de méditer sur les incertitudes de la vie. Fss... Plaf !!! Après une belle trajectoire, le projectile éclate et inonde la soutane. Attentat réussi !

Informé de l'« exploit », mon père ne s'oppose pas à mon renvoi. Il a déjà décidé de me retirer de Bossuet : il a appris que je passe le plus clair de mon temps dans un café où l'on me surnomme « le roi du flipper ».

Je suis envoyé à l'école des Roches, où je rejoins mes frères. J'y arrive en fin de première. Je développe rapidement une conscience politique en violente opposition avec les valeurs dominantes de cette école. La scolarité coûteuse limite le recrutement à l'élite financière et la croissance des années d'après-guerre permet l'entrée d'une nouvelle population scolaire, très friquée, aux bases culturelles parfois rudimentaires. Je me souviens d'enfants pourris, conduits par des chauffeurs. L'un d'eux fait même son entrée dans l'immense parc en vieille Rolls-Royce, un domestique en

livrée debout sur le marchepied latéral. J'ai honte
pour lui et pour moi. Je n'avais jusque-là jamais
pris conscience de la notion de classe. Je m'isole
dans cette école, vois peu mes frères, passe plusieurs heures par jour au piano, fume cigarette sur
cigarette dans le petit box d'étude qui m'est
réservé.

*

Par la suite, accablé par l'injustice sociale, j'ai
travaillé au-delà du raisonnable pour qu'au moins
ceux dont je suis responsable puissent acquérir
leur indépendance.

Lorsqu'on nous a demandé des centaines de
licenciements, j'aurais pu prendre les armes.
Tremblant d'indignation, encerclé par les lois gla-
ciales de l'économie, j'aurais probablement pu les
retourner contre moi, afin qu'ils ne m'aient pas
vivant.

*

Je découvre Marx, Engels, Althusser. Dans ma
piaule, j'étudie ces auteurs « rouges » en écoutant
les *Vingt regards sur l'Enfant Jésus*, une partition
pour piano de Messiaen. Cette musique m'isole de
la pourriture environnante. Ma révolte est telle que
je refuse de participer aux réunions de groupe.
Lors de la remise des prix, je reçois le mien « par
contumace ». Une première dans les annales de
cette école !

Depuis l'accident m'est revenu en mémoire un fait qui m'a, à l'époque, à peine frappé . le professeur de mathématiques, M. Mortas, se tue dans un accident de voiture. La nouvelle se répand qu'il a grandi de vingt centimètres après être passé sous un tracteur. Aujourd'hui, ce souvenir surgit en moi, du bas de ma position allongée où tous me trouvent grandi.

Mai 68 me surprend dans cet établissement anachronique. Je décide de m'échapper pour me rendre à Paris. Je me laisse entraîner par l'enthousiasme général qui règne de l'Odéon au Panthéon. Je suis persuadé qu'une plus grande justice résultera de ces folles journées : désormais, la décence et le respect régleront les rapports entre les hommes.

Je vis ainsi quelques jours de flottement total, enivré par l'excitation générale et l'odeur de poudre, sans idée préconçue, si ce n'est celle de l'avènement imminent d'une fraternité romantique. Je passe mes nuits chez d'anciens camarades de Louis-le-Grand. Nous discutons de nos projets sociaux jusqu'à des heures tardives.

*

Je n'accepte pas le compromis, pauvre Idiot des temps modernes !

Mère « aux mille sourires »

Mon père acquiert un bateau de douze mètres. J'ai dix ans lors de nos premières traversées jusqu'en Corse. Notre mère nous accompagne, terrorisée par les éléments. Elle retrouve sa tranquillité dans les ports de la « mer aux mille sourires[1] ».

Un été, la traversée s'effectue par un fort mistral. La mer, blanchie, heurte la poupe évasée du bateau avant de déferler sur le pont. Mon père maintient sa route à l'aide d'un foc de tempête. Lorsque nous approchons de Calvi, je parviens à me lever et à me dégager des miasmes de la fratrie entassée dans la soute. Nous faisons une entrée triomphale dans le port. Nous manœuvrons fièrement autour de notre père pour accoster le quai, où des gens, ébahis, contemplent cet équipage sorti de la tourmente, d'autant que mon père insiste pour que l'approche se fasse à la voile. D'année en année, les distances s'allongent. Nous découvrons toute la Corse, puis la Sardaigne, l'île

_____

1. Socrate désignait la Méditerranée par la « mer aux mille sourires ».

d'Elbe, la côte italienne et enfin la mer Ionienne, avec l'île de Zante. Nous y trouvons un cimetière qui regroupe une cinquantaine de tombes de nos ancêtres, engagés comme mercenaires au service de Venise.

Cette branche de notre famille s'est éteinte lors d'un assaut donné par les Turcs. Un préposé au cimetière entretient toutes ces tombes, sans raison apparente. Nous restons une petite heure dans ce cimetière, où nous voyons défiler deux siècles de notre famille. Toutes ces vies se résument à un prénom et des dates sur une pierre. Certaines ont été longues – on imagine un patriarche reposant fièrement –, d'autres, courtes – enfants morts en bas âge. Je garde de cette visite une sensation de vertige, d'un temps qui s'écoule, cadencé par les générations et rétréci par le cimetière commun.

Quatre ans plus tard, notre père achète un bateau plus grand, un superbe seize mètres en fibre de verre, avec deux mâts et deux cabines. Il trace son sillage d'écume sur de grandes distances. Nous partons maintenant de La Rochelle, contournons l'Europe par Gibraltar, nous enfonçons dans la Méditerranée jusqu'en Turquie pour retourner au Portugal.

Ces longues traversées exercent une influence durable sur les garçons que nous sommes. L'autorité de mon père s'y affirme avec une force terrifiante. Il pousse parfois des gueulantes épouvantables pendant les manœuvres délicates. Nous réagissons chacun à notre manière : Alain, livide, conserve un mutisme complet ; Reynier explose,

nous plante là, en plein orage, le visage couvert de
larmes d'humiliation ; moi-même, après avoir
tremblé à ses effrayants aboiements, je me raisonne
et tente d'analyser les causes de tels dérapages. Le
fracas de la mer et du vent dans l'accastillage
l'oblige à hurler, et parfois l'urgence du danger le
pousse à bondir sur le pont en vitupérant.

J'apprends la continuité dans l'effort, la modes-
tie devant les éléments, mais aussi l'art de leur faire
un pied de nez.

Ces traversées m'enivrent. Rien ne me fait plus
plaisir que de tenir la barre du bateau sous les
voiles et les étoiles. Cette masse blanche s'engouffre dans l'obscurité, parmi des gerbes de mer phos-
phorescentes ; la vague se fend lourdement sur la
coque et s'évanouit en bulles de champagne.

Un été, c'est la catastrophe. Nous partons de
Lisbonne dans l'intention de rejoindre Gibraltar
le lendemain. À trois heures du matin, la mer s'est
creusée, mais elle n'est pas dangereuse. Nous
continuons, toutes voiles dehors. Reynier est de
quart, l'étrave fend les vagues, le bateau file à
grande vitesse sur la houle dans la plus grande
sûreté. Un choc terrible. D'un seul coup, c'est le
naufrage ! Un des phares de la côte n'a pas dû
fonctionner. Reynier a fait ses calculs à partir d'une
autre lumière, ce qui nous a projetés tout droit sur
le cap Saint-Vincent. Par miracle, il s'agit d'une
partie ensablée entre les rochers. Le choc est si
violent que je passe de ma couchette à la mer.
Personne n'est blessé ; le bateau se couche sans se

rompre. Rapidement, dans la brume du petit
matin, apparaissent des paysans venus à notre
secours avec leurs ânes. Ils arriment le bateau,
nous réchauffent autour d'un bon feu pendant que
d'autres vident le bateau et chargent leurs ânes.
Nous suivons le convoi jusqu'au village, où ils aler-
tent les autorités. Nous devons rester chez eux les
deux jours nécessaires au remorquage du bateau.
Nous sommes accueillis avec une chaleureuse hos-
pitalité, vestige d'humanité ; comme si la pauvreté
en était la condition.

*

Lorsque je songe à ces premières années dorées,
je reconnais que j'étais un enfant gâté. Je ne peux
m'empêcher de chercher à identifier les influences
qui m'ont profondément marqué. Certaines sont
génétiques. Physiquement, je suis le portrait du
grand-père Joe. On dit que j'ai aussi en partie
hérité de son esprit, et de son goût pour la gent
féminine. Du grand-père Vogüé, j'ai le sens esthé-
tique, voire la coquetterie, et le goût du pouvoir.
Lorsque, par la suite, j'ai travaillé dans le groupe
LVMH, Marie-Thérèse, son ancienne et ma nouvelle secrétaire, me rappelait sans cesse ces ressem-
blances. De Granny, j'ai reçu l'héritage spirituel :
la morale puritaine et la mentalité américaine. Protestante jusqu'à son mariage, elle a par la suite
conservé la rigueur de cette religion et une totale
indifférence à l'égard de son corps.

L'hérédité et mon goût des modes de vie de ces
deux grandes familles – l'une du passé, l'autre en

avance sur son temps – se combinent. Le sens du devoir se mêle étrangement en moi à un certain détachement à l'égard de mon environnement. Une sorte de superbe laborieuse. Même après les drames, même dans mon immobilité, ces composantes restent motrices.

Deuxième partie

Béatrice

Renaissance

Tout commence dès le jour de notre rencontre ; nous avons vingt ans. Une cour de faculté à Reims. Nous y sommes tous deux par hasard ; elle, parce qu'elle suit son père préfet, moi, parce que je ne suis pas mes parents à l'étranger.

Béatrice et moi avons fait presque toutes nos études ensemble. La faculté de droit et de sciences économiques de Reims se situe dans un ancien bâtiment qui abrite aussi un hospice de personnes âgées. À gauche de l'entrée, ce sont les vieux. À droite, les étudiants. Entre les deux, la chapelle. Elle est couverte d'un dais noir chaque fois qu'un pensionnaire de gauche quitte ce monde. Ils nous regardent passer tous les matins comme une distraction, avec regret. La distance entre nous est immense : ils n'attendent plus rien, nous espérons tout.

En 1969, cette faculté est d'extrême gauche. Je vais peu aux cours. Je passe le plus clair de mon temps dans un petit café, adjacent. Il est tenu par un alcoolique repenti et son épouse, coiffée d'une perruque noire et vêtue d'un ensemble rose vif. Ils s'assurent que les parties de flipper ou de quatre-vingt-un sont plus arrosées à la limonade qu'à la bière. Je me pointe parfois à la fac, alors en grève, pour voter à main levée, lors des assemblées générales, la poursuite du mouvement. Le temps s'écoule, sans relief. Je redouble ma première année. J'aurais pu traîner ainsi tout au long de mes études.

Un jour, je remarque une grande blonde. Son allure dénote avec l'uniforme que constituent alors le jean, le pull-over moulant et la cigarette. Le lendemain, les résidents de l'hospice sont plus nombreux à l'entrée : il se passe quelque chose chez les étudiants. J'entre dans la cour. La belle est là avec quelques camarades, munis de rouleaux de papier blanc. Elle interpelle les étudiants pour qu'ils signent leur pétition. Je m'approche de la splendeur, elle m'invite à signer l'arrêt de la grève ; ce que je fais sans hésiter, en rougissant. Amusée, elle me donne un rouleau pour que je puisse récolter des signatures. Depuis ce jour-là, nous ne nous sommes jamais quittés. Depuis ce jour-là, j'existe.

Je discute avec Béatrice. Sans a priori politiques, elle défend ce qui lui paraît raisonnable et rit de nombreux sujets qui me semblaient jusque-là plutôt austères. Elle voit la vie comme une comédie humaine ; je la perçois plutôt comme une tragédie. Nous nous chamaillons sur ces divergences mais, le soir, elle me garde auprès d'elle. Elle me présente bientôt à ses parents, dans le somptueux palais du préfet. J'ai failli tout gâcher. Madame la préfète est dans son jardin à la française. Upsa, ma chienne, l'adopte, la fait tomber dans les rosiers et lui lèche le visage. Madame propose néanmoins de la garder en pension afin qu'elle puisse bénéficier du jardin. Elle saisit ainsi l'occasion de contrôler sa fille. J'acquiesce : ma piaule de huit mètres carrés ne satisfait pas Upsa qui y reste enfermée toute la journée ; mes activités de gardien de nuit dans un hôtel et de démarcheur – pour vendre encyclopédies et costumes dans les quartiers ouvriers de Reims, Troyes et Châlons – me laissent peu de temps pour les études, et encore moins pour Upsa. Nous passons dorénavant tous nos week-ends à la préfecture.

On me réserve la chambre du général de Gaulle, son immense lit construit sur mesure. Béatrice m'y rejoint tard le soir. Le matin, elle m'apporte le petit déjeuner au lit. Elle est drôle. Elle pense berner ses parents. Jusqu'au jour où ma charmante future belle-mère se présente dans la chambre avec un petit sourire et demande à sa fille de bien vouloir la rejoindre.

Nous vivons plus de la moitié de la journée dans ce lit où nous préparons notre avenir. Nous décidons de présenter Sciences-Po, voire l'ENA. Je me mets au travail.

J'emmène Béatrice dans notre Corse pour les vacances d'été. Nous sommes les premiers de notre génération à vivre ensemble sans être mariés. Les aînés ont quelque difficulté à s'y adapter.

Nous nous isolons fréquemment dans le maquis et avons du mal à respecter les horaires de ma grand-mère. Sur la grande plage déserte de Capo di Feno, nous passons la nuit dans la tiédeur du sable et le vacarme des rouleaux, autour d'un petit feu de bois. De temps en temps, nous rejoignons la maison familiale d'Ajaccio, où l'on s'accommode mal de notre promiscuité insouciante. Ma chère mère nous reproche de faire un peu trop précocement l'éducation de mes petites sœurs, Valérie et Alexandra, ma cadette de douze ans.

Kiss Machine

Elle est grande. On remarque son port de tête et l'élégance de sa démarche. Son visage parfait exprime la joie de vivre, l'intelligence et une vitalité sans limites.

Ses yeux bleu ciel, surlignés de noir par ses sourcils et ses cils, sont toujours rieurs. Je la regarde continuellement, ému par tant de grâce et d'amour. Sa simplicité est toujours raffinée. Souvent, je choisis sa tenue du jour. Je connais chaque centimètre de sa peau douce, le duvet de sa lèvre supérieure, la gourmandise de sa lèvre inférieure, le lobe de son oreille parfaite, le creux de son cou à la naissance de son épaule rarement recouverte, ses petits seins fermes qui aiment se durcir sous les caresses, surtout le droit ; son ventre souple sur lequel je m'endors souvent, ses hanches généreuses qui m'encouragent dans nos étreintes. Je remonte jusqu'à son cou où je m'assoupis après l'amour. Nous vivons nus dans de grands lits, serrés l'un contre l'autre.

Dans la rue, je la tiens par le coude. « Eh !

Regardez c'est ma compagne ! » Nous nous enla-
çons sans pudeur.

Nos familles nous surnomment « Kiss Machine ».

À vingt ans, nous nous inquiétons de nos
futures étreintes, lorsque nous en aurons quarante.
À quarante ans, même si elle a les jambes bandées,
l'amour reste doux. Nous lisons ensemble, jouons
de la musique. Nous sommes inséparables. Après
mon accident, affaiblie par son cancer, elle continue néanmoins nos jeux amoureux. Nous nous
aimons par les lèvres.

J'ai toujours éprouvé l'envie d'être uni à elle ;
je me sentais plus beau, grandi.

*

Notre vie est une musique. Dès les premiers
temps, à Reims, je loue un piano dans la remise
encombrée d'un menuisier. Elle m'y rejoint. C'est
mon époque Chopin-Schumann-Schubert. Elle
s'installe sur une caisse et m'écoute en lisant. Aux
concerts, nous nous tenons par la main. Un soir
de lieder de Schubert, elle me donne un coup de
coude tant elle trouve indécente l'attention que je
semble porter à la belle chanteuse. Lorsque nous
nous installons en Champagne, elle suit des cours
de chant. Pas un jour ne se passe sans que nous
ne manquions à nos duos de Mozart et de bien
d'autres. Son mystère est dans son chant, au fond
d'elle-même, comme une vibration de la nature.
Suis-je au diapason lorsque nous admirons ensem-

ble la beauté ? Plus qu'un chant, je perçois au fond de moi une harmonie presque sensuelle. Je ne respire qu'au rythme de ses aspirations.

*

Où que je sois dans le monde, elle est le seul univers qui compte pour moi : le soir, l'un contre l'autre, nus dans notre grand lit, les chuchotements à propos des enfants, la certitude d'être aimé, la tendresse des corps. Sur cette terre sans cesse parcourue, ma seule découverte est ce grand lit.

*

Le Pozzo fait peau neuve grâce à son éblouissante compagne. Je règle mes dettes de jeu en vendant la belle Coccinelle orange, cadeau de mes dix-huit ans. Je rachète au patron du café l'antique ID 19 qu'il a magnifiquement conservée. J'emmène Béatrice partout dans ce carrosse. Je suis le roi des voyous, elle est ma reine.

Un soir, nous rentrons à Reims de Paris. Un épais brouillard nous ralentit. Qu'importe : Béatrice est contre moi ; le temps n'existe plus. J'entrevois le panneau signalant l'entrée dans Meaux. On ne voit rien, hormis l'éclat des phares réfléchis par le brouillard. Je devine la gare recherchée ; partout, il y a un « Hôtel de la gare ». Béatrice est un peu confuse lorsque je sonne et frappe à la porte de l'hôtel endormi. Au bout d'un long moment, une femme acariâtre réclame le silence.

J'insiste. Enfin, la lumière s'allume. Un châle noir en charentaises nous précède dans l'escalier. Le parquet craque. Pas un mot jusqu'à ce que la porte se referme sur nous. Béatrice est toujours contre moi. Sans cesser de nous embrasser, nous atteignons le lit éclairé par une lampe de chevet chevrotante. Elle rit de l'incroyable chahut que les vieilles planches du lit font subir à tout l'immeuble. Nous murmurons dans ce tintamarre tout au long de cette nuit délicieuse. Dans la salle du petit déjeuner, le châle noir nous demande si la nuit a été bonne ; les pommettes de Béatrice rosissent. Elle mord dans un croissant chaud. Elle ne m'a pas quitté des yeux.

Les étudiants de Sciences-Po doivent effectuer un stage en fin de deuxième année. Nous sommes à peine fiancés. Mon futur beau-père obtient de la mairie de Montpellier une opportunité de stage dans la ville jumelée de Louisville, au Kentucky. Nous sommes affectés dans la même petite banque locale : la Louisville Trust Co. Pensant plaire au préfet, l'université nous installe chez une vieille habitante, dans une somptueuse maison coloniale. Plusieurs fois mariée, veuve, elle est tout excitée par l'arrivée de ce jeune couple. Bien renseignée, elle nous accueille avec une révérence digne de *count and countess*. Elle nous bichonne, nous caresse ; impossible de l'éjecter de notre chambre. Je la soupçonne d'avoir passé plusieurs nuits, l'oreille collée à la porte, en quête des soupirs qui lui manquaient.

À la banque, Béatrice est affectée au département juridique tandis que je mets mon nez dans la gestion des patrimoines. Toutes les deux heures, nous avons droit à quinze minutes de pause-café. Nous nous retrouvons d'urgence dans l'ascenseur et nous embrassons durant le temps imparti. Il y a de quoi choquer l'Amérique puritaine et conforter les indigènes dans l'image qu'ils ont des Français. Désormais, ils ne nous appellent plus que « *the French lovers* ». Dans la rue, nos jeux continuent et occasionnent crissements de freins, coups de Klaxon répétés, bouchons et éclats de rire. J'ai même conservé le souvenir d'une famille de pauvres Blancs ruraux à la consanguinité évidente, restée pétrifiée pendant cinq minutes, le temps que nous disparaissions de leur champ de vision.

Notre logeuse réunit le tout-Louisville lors d'un barbecue autour de la piscine, pour présenter ses aristocrates amoureux. Nous sommes des tourtereaux sans cage et sans complexe. Tout nous est bon tant que nous sommes côte à côte.

La nuit, il y a une manœuvre que nous avons toujours affectionnée. Nous nous mettons l'un derrière l'autre en chien de fusil. Je tiens sa hanche et remonte ses cheveux sur sa nuque. Dans une parfaite synchronisation, à un instant qui nous échappe, nous inversons nos positions. Nous avons nos étreintes, nos jeux, nos confidences, et à un moment donné la nuit s'ordonne en ce simple ballet. Après l'accident, je reste sur le dos. Elle pose sa tête dans le creux de mon épaule, me dit où elle met ses jambes, ses bras ; et moi, d'imaginer la position de son corps.

Si longtemps j'ai souffert de ne pouvoir la caresser, de ne pouvoir l'aimer.

Elle s'installe près de mon cou et ma nuit se résume à cette épouse blottie contre moi. Jamais elle ne s'est plainte. Elle, martyrisée par son cancer qui l'affaiblit de jour en jour, et moi, paralysé dans la brûlure, nous avons réduit, ou plutôt élargi, notre amour à ces deux têtes qui se touchent tendrement le soir. Nous nous échappons.

Béatrice

Alors que nous attendons notre premier enfant depuis quatre mois, Béatrice a des saignements. Je ne me souviens plus de l'hôpital, je les confonds tous maintenant. Je revois le jeune professeur ; il s'appelle Pariente. De cela, je suis sûr. Avec une grande gentillesse, il nous dit qu'il n'y a pas de quoi s'inquiéter pour le prochain enfant. Je pleure au chevet de Béatrice. Est-ce vraiment sur sa souffrance ? C'est elle qui me console. Nous vivons dans une HLM, porte d'Orléans ; Béatrice a déjà repris sa vie d'étudiante avec beaucoup d'entrain.

Lors de la grossesse suivante, les saignements commencent au troisième mois. Ils me donnent le fœtus dans un bocal et me demandent de l'emmener au laboratoire. Pourquoi ai-je gardé le souvenir qu'il était situé au milieu du bois de Boulogne ? Je me vois entrer dans un pavillon. Une femme en blanc m'accueille. Je dépose le flacon sur le comptoir. Elle n'a pas l'air surpris. Je repars, égaré.

Ils commencent à nous faire toutes sortes d'analyses. Ils m'envoient faire un examen de sperme dans un labo spécialisé. Jeune marié, je reste indécis quand l'infirmière me tend un tube vide et m'indique une porte. Je m'y rends, pensant rencontrer un médecin. Je me retrouve dans un cabinet de toilette garni de revues pornographiques.

Après une éternité de honte, le devoir accompli, je rends le flacon.

Nos examens de laboratoire s'avèrent satisfaisants.

Nous passons Sciences-Po avec succès et décidons de préparer l'ENA.

Béatrice a vingt-cinq ans. Au mois de mars, elle est de nouveau enceinte. Cette fois, la grossesse évolue bien.

Le bébé doit vivre ; mais Béatrice fait une embolie[1]. Elle résiste. Le fœtus ne semble pas avoir été touché. Elle veut cet enfant au prix même de sa santé. Le chef de clinique la défend avec rudesse contre son collègue qui veut essayer un anticoagulant, au risque d'occasionner des malformations. La discussion se passe dans le couloir, bruyante. Béa est écœurée. Comment deux médecins peuvent-ils oublier que, dans le lit 21, il y a une femme belle, intelligente, qui aime et qui, hors de cette prison, les vaut bien ? Quand elle peut enfin se mettre debout, elle s'aperçoit même qu'elle est plus grande qu'eux.

Je suis là. La chambre est toujours fleurie. Il y a des fruits, des livres, de la musique et un réfrigérateur plein.

---

1. Brusque oblitération d'un vaisseau sanguin par un caillot ou un corps étranger véhiculé par le sang (Dictionnaire Larousse).

J'ai abandonné ma préparation à l'ENA, oublié les nécessités de l'économie politique, les dernières statistiques, le quotidien extérieur. Notre vie, la vraie, d'os et de chair, est ici. Nous devons faire face ensemble. Grâce aux équivalences, je m'inscris en licence d'histoire. Je fais partager à Béatrice la vie des premiers navigateurs arabes et lui conte l'histoire de l'océan Indien aux XIIIe et XIVe siècles.

C'est commode, les équivalences : nous connaissons Ibn-Batouta mais ignorons la chronologie des rois de France. J'ai ma licence, mais nous ratons l'enfant. Après sept mois de gestation, l'hypertension a raison des mouvements du fœtus. Il commençait à se faire sentir ; ce devait être un garçon. Il s'est immobilisé.

Le mois qui suit est un cauchemar. Le fœtus doit se rétrécir suffisamment pour que Béa « accouche naturellement ». Les médecins lui prescrivent de longues marches. Toujours, je l'accompagne. Elle est fatiguée, hébétée. Elle ne parle plus, garde ses lunettes de soleil, évite les rencontres. Le soir, longuement, je lui caresse les tempes ; elle pleure jusqu'à l'abrutissement. Parfois, elle se laisse aller à des cris de haine et de révolte.

Après un dîner, les douleurs commencent ; nous nous retrouvons aux urgences de la maternité. Béatrice dit que l'enfant est mort. Rien à faire : même traitement que pour celles qui, après quelques heures de douleur, connaîtront le bonheur.

C'est l'heure, dans l'angoisse, de ce ventre qui se déchire. Elle me regarde. Je la regarde et l'encourage. Elle ne veut pas que je voie. Elle demande un drap. Nos deux têtes sont proches, isolées. Après d'interminables hurlements, le corps de Béatrice se détend. Les sourdes douleurs du cœur et du corps s'épousent. Ses yeux s'enfoncent, noyés de larmes.

Nous n'avons pas le temps de nous ressaisir ; un personnage grisâtre entre sans se présenter. Bille en tête, il demande : « Comment s'appelle le défunt ? » Béa suffoque. Je me précipite sur l'intrus, l'embarque de force dans le couloir. Il m'explique qu'un enfant né après sept mois doit être enregistré à l'état civil, même s'il n'a pas vécu à la naissance. Je réponds avec docilité à toutes ses questions absurdes, signe tous les documents ; il est satisfait. Je pleure seul dans le couloir, me donne une contenance et retourne auprès de Béa. Je lui parle paisiblement pour diluer sa souffrance et cacher la mienne. Elle finit par s'endormir. Je reste à côté d'elle, dans un fauteuil sans âge. Lorsqu'elle sanglote, je pose ma main sur son front et lui chuchote des tendresses.

La nuit suivante, nouvelle embolie, nouvelle réanimation. Je reste à ses côtés. La tête lui tourne. Bruits, lumière, conversations vaguement audibles. Une nuit blanche, lassante, sans matin. Toujours, je lui tiens la main.

*

Nous partons aux États-Unis commencer une nouvelle vie.

On nous indique un bon obstétricien, qui nous prépare professionnellement à notre quatrième tentative. Il est doux. Sa clinique est luxueuse. Nous avons l'illusion d'être dans un endroit protégé, un lieu où les misères ne pénètrent pas. À son grand étonnement, la grossesse ne dure que quatre mois.

Notre premier enfant américain est en train de foutre le camp. Je parle doucement à Béatrice. Puis, plus rien. Quand je reprends connaissance, les infirmières me taquinent. Même Béa a retrouvé un éclat rieur dans ses yeux fatigués.

Béatrice fait deux embolies pulmonaires. Après plusieurs mois, ils la lâchent enfin. Elle est l'ombre d'elle-même, seuls ses yeux vivent. Nous allons en Martinique. À peine descendus d'avion, nous fonçons louer un bateau, faisons le plein de vivres, partons.

Béatrice est allongée sur la banquette. Elle rit aux éclats quand tombe une pluie chaude ; s'écrie, enchantée, quand le bateau penche trop. Nous nous arrêtons au milieu de la mer, Béa se baigne durant des heures. La seule fois où nous croisons un bateau, elle se met à danser, nue. En quelques jours, elle reprend formes et couleurs ; ses yeux sont toujours aussi rieurs. Je ne retiens de Béatrice que ces moments de confiance.

Le savant toubib américain nous convainc qu'il a tout compris, que la seule solution est de recommencer.

Un an plus tard, c'est fait. Un enfant est mort à sept mois. En cas d'échec, nous avions décidé d'adopter. Nous entamons des démarches pour obtenir le préaccord à l'accord préalable à l'avis positif qui pourrait nous ouvrir les portes d'une adoption... à l'horizon de cinq ans. Nous rédigeons probablement le plus beau dossier d'adoption que l'Institut religieux de Bogota ait jamais reçu.

Un médecin procède à notre bilan de santé. Il découvre que l'examen sanguin de Béatrice est anormal. Il l'envoie en ambulance à l'hôpital de Cook-County pour approfondir les analyses. Le diagnostic est confirmé. Il porte un nom barbare qu'aujourd'hui encore je n'arrive pas à mémoriser. Il est vulgairement connu sous le nom de maladie de Vaquez – un cancer de la moelle osseuse. On la trouve chez les personnes âgées, souvent chez les hommes. À la connaissance du chef de clinique, il y a moins d'une centaine de cas de cette maladie chez une jeune femme comme Béatrice aux États-Unis. Ils tiennent leur cobaye. Les médecins des différents hôpitaux l'accueilleront toujours avec le même intérêt. Les vieux en meurent. On arrive néanmoins à les prolonger d'une dizaine d'années : « Alors, c'est déjà ça. »

C'est un cancer des globules rouges. L'hémoglobine se développe à une vitesse et une intensité telles que le sang se fige. Le plus fréquemment, on meurt d'une embolie pulmonaire ou cérébrale.

Il faut suivre une chimio pour anéantir les globules rouges.

Je suis abasourdi. Ils m'ont parlé de cancer.

Elle est éreintée par sa dernière fausse couche.

Lorsqu'ils m'apprennent son cancer, je m'égare. Tout devient noir comme ces nuits où je m'échappe avec des femmes, toutes les femmes, n'importe quelles femmes.

Chérubino !

Dans cette folie et cette douleur, un coup de téléphone nous annonce qu'un bébé, une petite fille, nous attend à Bogota. Béatrice s'effondre en sanglots sur la table d'un restaurant français, bondé, à Chicago. Elle doit s'absenter pour se recomposer un visage.

Rien ne me reste de toutes ces semaines, sinon la honte de ma fuite. Puis survient le jour, à Bogota, où Béatrice pose Laetitia dans mes bras. C'est un magnifique bébé de trois mois qui me regarde avec de grands yeux étonnés, peut-être inquiets. Je retrouve, nous retrouvons notre respiration commune. Béatrice se penche sur mon épaule, au-dessus de l'enfant, et ça repart. Il faut repartir. Laetitia est une merveille. Béatrice a repris goût à notre amour. Je retrouve la chaleur de son corps meurtri.

Je suis nommé directeur financier de la filiale française d'un grand groupe pharmaceutique américain. C'est le retour, tout d'abord timide, puis triomphal avec l'enfant promis. Voici déjà cinq ans que nous avons quitté la France. J'installe les miens

dans l'hôtel familial. Béatrice revient à la vie ; Laetitia embellit. Je travaille d'arrache-pied avec mon
jeune patron, André, notre ami depuis. Je gagne
deux fois moins qu'en Amérique, mais quelle
aventure ! André apporte toujours des cadeaux
pour Laetitia lorsque nous travaillons le week-end
à la maison.

*

Béatrice a trente-trois ans. Elle est resplendissante.

Opération Cœur

Nous revenons de Saint-Gervais en voiture. Béatrice est fatiguée. Elle s'allonge sur son siège. Ses yeux se sont creusés. Elle halète puis finit par s'endormir. La route tourne, sa tête ballotte.

Je conduis jusqu'à Paris, sans m'arrêter. Nous arrivons à la maison ; je réveille Béa. Elle a toujours les yeux enfoncés, le regard vide. Elle peine pour monter l'escalier, puis se couche. La nuit s'étire. Je la regarde dans son sommeil inconfortable. Le lendemain matin, nous décidons de consulter son cardiologue. Il diagnostique une embolie pulmonaire et la fait hospitaliser d'urgence.

Une place en réanimation cardiaque lui est réservée. Un des neveux du médecin est chef de clinique. Une chance !

Nous n'avons pas le temps de passer à la maison pour embrasser Laetitia. L'hôpital Saint-Antoine ; nous ne le connaissions pas celui-là !

Comme d'habitude, nous essayons de plaisanter. Chacun joue son rôle. Ne pas pleurer, pas tout de suite ; notre bonne éducation prime : nous remercions l'infirmière, très gentille ; pour nous, c'est du déjà vécu.

Le neveu du médecin est là. Il installe Béatrice ; elle est doublement prisonnière : de son corps et de la règle hospitalière. On la met en uniforme : une sorte de camisole blanche portée à même le corps. Tout est prêt : branchements, cadenas aux fenêtres – pour éviter les suicides –, pas de téléphone, pas de télé, pas de couleur, peu de temps de visite.

Je ne respecte rien. Les équipes apprennent à composer avec mon entêtement ; plus personne ne conteste ma présence obstinée. Le premier soir, à l'heure où je dois la quitter, j'emporte la liste des objets acceptés. Je tranquillise Béatrice : oui, je préviendrai ses parents et les miens ; oui, j'embrasserai notre petite fille de deux ans et demi.

Les médecins pratiquent des tests et confirment l'embolie pulmonaire. Ils installent Béatrice dans une pièce vitrée éclairée en permanence, branchent un monitoring cardiaque qui clignote d'une lumière rouge et sur lequel défile le tracé des battements de son cœur. Ils posent une intraveineuse qui la nourrit et lui transmet les médicaments. Sous les néons, la chair est blafarde, le corps, immobile ; des larmes glissent le long de son visage.

Béatrice fait six embolies pulmonaires et passe un an dans cet hôpital. Je la vois tous les jours, mais sans aucune joie. Je ne comprends pas sa solitude. Je ne sais que dire. L'angoisse étouffe mon regard. J'arrive le matin vers onze heures. Elle est contente de me voir, malgré mon silence. À midi, je dois sortir, m'échapper. Je suis rue Saint-Antoine.

J'ai repéré un bistrot sans âge. L'énorme patronne tient les fourneaux. Son mari, amaigri par l'alcoolisme, ne s'exprime plus qu'en secouant coudes et épaules, comme un poulet. Je m'assieds toujours à la même table. La patronne me prépare une entrée spéciale et son fameux plat du jour. La chaleur m'engourdit. Je m'éteins.

L'après-midi, je retrouve Béatrice sous son néon. Je lui décris la rue, le bistrot, ses odeurs, le menu. Ce sera le rituel d'une année. Elle pleure lorsque ses veines éclatent et qu'il faut lui emmitoufler les bras dans des pansements d'alcool. Elle se satisfait de ma présence anéantie et me regarde, toujours. Je reste quelquefois la nuit pour soulager sa peur. La seule fois où elle peut sortir après des mois de lit, elle se fait belle mais reste livide. Elle marche avec difficulté jusqu'à mon bistrot. Elle fait la petite fille, s'amuse de tout. Lorsque nous sortons, elle vomit sur le trottoir.

Je travaille au bureau sans relâche. Je fais mes dix heures en décalé, week-end y compris.

Elle attend davantage de moi, notamment que je l'accompagne dans sa foi. Mais je reste obstinément muet. Seule ma présence auprès d'elle me protège de l'angoisse. Le professeur Slama juge impérative la pose d'un clip-cave[1].

---

1. Filtre posé sur les veines caves inférieures pour éviter la remontée des caillots de sang.

Après avoir pesé le risque d'une embolie fatale et considéré la faible probabilité des suites néfastes de l'opération, nous choisissons l'intervention chirurgicale.

Ils promettent à Béa que l'opération du cœur ne laissera qu'une petite marque. Plus jamais elle ne se baignera en Bikini : la cicatrice démarre au milieu du sternum et descend jusqu'au-dessus de la fesse droite en formant un large arrondi. Elle gardera jusqu'à la fin cet immense trait violet. Je serai le seul à connaître son secret.

Quand elle sort enfin du bloc opératoire, ses yeux sont clos. Je lui prends la main. Nous avons gagné...
Des années de souffrance.

*

Laetitia a quatre ans. Nous passons nos vacances en Corse avec des cousins, sur un immense bateau à voile.
Seuls les six cachets quotidiens de la chimiothérapie nous rappellent la maladie de Béatrice.
Ce jour-là, elle nage la brasse avec sa fille. Toutes deux rient en s'éclaboussant. Elle est resplendissante. Quand elle s'érafle la cheville sur un rocher, elle pousse juste un petit cri et remonte sur le bateau pour nettoyer l'égratignure. Cette plaie ne cicatrisera jamais. C'est un « effet secondaire » qu'on nous a dissimulé.

Le cancer de Béa épaissit son sang, la chimio le fluidifie. Un ulcère se nécrose au-dessus de la cheville droite, puis de la gauche. Le cancer devrait plus nous préoccuper. Pourtant, ce sont ces horribles ulcères qui traumatisent Béa au cours de sa maladie. Elle est hospitalisée à Paris en moyenne six mois par an. Ses parents assurent une permanence à laquelle j'essaie de suppléer jusqu'au bout de mes forces. Elle a toujours le sourire pour moi. Je lui apporte des cassettes enregistrées par Laetitia, tout le courrier auquel nous nous obligeons à répondre, des nouvelles de l'extérieur.

Sa mère, médecin, est révoltée par les tentatives des divers professeurs pour « soigner » les ulcères. Une vraie boucherie.

Béa en pleure de douleur.

*

Ces images envahissent ma mémoire jaunie par la nicotine. La fumée de la cigarette remonte dans mes yeux rougis. Je me souviens à présent de ma désolation et de mon impuissance, lors de ces événements. Confronté à l'absence de Béatrice et à mon corps disloqué, j'oublie la colère.

*

Le professeur Fiessinger met enfin un terme au martyre de Béa. Il la fait hospitaliser à domicile et préconise des thérapies traditionnelles. Elles consistent à gratter quotidiennement les plaies au scalpel jusqu'à ce que les ulcères saignent, étape indispensable à la reconstitution des cellules. Je suis dans la chambre pour les séances du matin et du soir, mais je ne peux regarder ces scalpels. J'approche mon visage du sien, sèche ses larmes. Combien de fois m'a-t-elle mordu jusqu'au sang pendant qu'on la charcutait ? Quelques minutes après, c'est oublié, elle est chez elle, parmi les siens. Ce professeur l'a rendue à la vie.

Je dois désormais la protéger.

La Pitance

Le groupe Moët et Chandon me propose un poste confortable en Champagne.

Nous partons pour la belle « Pitance ». Adossée à l'abbaye bénédictine d'Hautvillers du VIIe siècle, elle est entourée d'un parc à la nature généreuse. Elle plonge jusqu'à la Marne, à travers les fumées des vignes sans cesse travaillées. La lumière joue avec l'ombre des piquets de vignes comme un cadran solaire multiplié à l'infini.

Je représente la onzième génération de la famille fondatrice. La douzième, un bébé que nous prénommons Robert-Jean, rejoint la famille dès notre arrivée en Champagne. Cette fois, Laetitia fait partie du voyage à Bogota. Elle reste marquée par la misère des enfants de son âge, qui mendient, en haillons, le long des rues.

*

Nous passons onze ans à la Pitance. Béatrice en est la reine, Laetitia la princesse et, très vite, Robert-Jean, l'héritier.

Malgré la maladie de Béatrice et le travail harassant, nous vivons tous les quatre des années de bonheur. Les saisons s'enchaînent autour de la cheminée, du piano, des plantations dans le jardin, des cerises à cueillir, des centaines de roses à tailler, des confitures de prunes, d'abricots et de poires de diverses espèces que Laetitia aime mordre à même le fruitier.

Je suis nommé directeur délégué de Pommery, à Reims. Le matin, je conduis Laetitia sur une petite route tortueuse et glissante à travers bois. Plus je vais vite, plus son sourire s'élargit. Notre jeu consiste à ne freiner qu'au dernier moment dans les virages, à dépasser les 160 kilomètres à l'heure sur la moindre ligne droite et à doubler tout ce qui traîne. Je n'ai pas le droit de la déposer devant son école avec ma belle voiture. Je la laisse au coin de la rue pour qu'elle arrive anonyme auprès de ses camarades. Quelques soirs, elle me rejoint au bureau. Je la présente à l'équipe. Elle s'installe face à moi et « travaille ». Nous sommes inséparables. Béatrice en souffre.

La dernière fête se déroule à l'occasion des treize ans de notre fille. J'organise un feu d'artifice qui laisse Laetitia et ses amis médusés. Aucun des adolescents ne dort cette nuit-là. Leurs cris résonnent dans le vignoble.

À l'époque, Laetitia est déjà une vraie pianiste. Elle doit passer un concours. J'aurais aimé, j'aurais dû y assister. Mais je n'ai pas pu. Retenu le jour J par des impératifs professionnels, je me brise la nuque.

Troisième partie

Le saut de l'ange

Les ailes brisées

Béatrice est hospitalisée à domicile, tranquille, dans sa belle Pitance. Tous les jours, je me lève à six heures trente pour courir. Je sors de la maison, longe le mur de l'abbaye en trottinant et prends la première ruelle qui grimpe, encadrée par des gargouilles grimaçantes. Je les regarde du coin de l'œil. Radowski, notre teckel, jappe dans cette montée. Un grand plat à droite, le long de l'église et encore une montée pour rejoindre la forêt. J'ai déjà les jambes coupées.

Le chemin redescend sur la gauche, je reprends un peu d'allure. Radowski a deux cents mètres d'avance sur moi. Il m'attend au bout de l'allée. Nous empruntons le chemin de crête qui sépare les coteaux champenois de la forêt. D'ici, je surplombe la Marne qui serpente dans la vallée, souvent nappée de brouillards. Nous sommes sur le toit du monde. Au début, je cours cent mètres et je m'arrête. Chaque jour la distance s'allonge ; au bout d'un mois, je suis capable de parcourir une boucle de trois kilomètres sans m'arrêter, à travers la forêt et les vignes.

Bientôt, parcourir deux fois la même boucle ne me suffit plus. Alors, un jour, au bout de la vigne, au lieu de revenir, je m'enfonce dans la forêt, par la droite, une côte rude et glissante. En quelques mois je la gravis sans m'arrêter. Tous les matins, j'avale dix kilomètres. C'est Radowski qui me suit à présent.

Par la suite, un ami m'accompagne. Il plaisante, il est infatigable ; moi, j'économise mes forces. Le week-end, nous courons vingt kilomètres, bientôt trente. Une renaissance. Du haut de ses trois pommes, mon fils de sept ans trottine sans effort à mes côtés.

Aujourd'hui, je le regarde partir tout en légèreté et résistance. Je lui ai donné le goût de l'effort de fond.

J'ai couru sur tous les continents du monde.

Je parcours maintenant cinquante kilomètres chaque week-end. Béatrice est couchée, les jambes ensanglantées. Je lui apporte le petit déjeuner avec du pain frais pris sur le chemin du retour. Elle se redresse sur ses oreillers ; je l'embrasse, dégoulinant de sueur. Elle est contente : je suis là pour la première séance de scalpel de la journée. De nombreuses années auparavant, elle courait devant moi dans le parc du lac Michigan, à Chicago. Je tenais à rester derrière pour la voir se dandiner. De temps en temps, j'allongeais la main pour lui pincer les fesses, elle poussait un petit cri et saisissait le prétexte pour s'arrêter.

Nous passons un mois de février chez des amis, à Chamonix, dans une ancienne ferme. On découvre dans la pénombre quantité d'objets, de photos et de bouquets séchés.

Mon ami Titi nous présente son beau-frère, dans le plâtre des orteils jusqu'à l'épaule. Il s'amuse en évoquant son accident de parapente : un copain, parti avec un nœud dans ses suspentes, est rabattu contre la paroi ; le beau-frère de Titi veut le secourir, mais il se fracasse contre la montagne ; son ami, lui, s'en sort avec quelques égratignures. Il rit de cette bêtise comme il rit encore d'un accident qui lui est arrivé deux mois plus tôt aux commandes de son petit avion, avec la fille de son patron. Le moteur a disparu dans le vide – un boulon mal serré. Il a réussi à rejoindre le lac d'Annecy ; ce qui leur a ainsi permis de gagner les berges à la nage. Ils ne doivent leur survie qu'à son sang-froid. Un gentil fou. Il m'initie au parapente en me jetant d'une falaise.

Je cours et je vole. Il me faut quelques années et plusieurs stages de survie pour maîtriser toutes les étapes du vol. Je suis maintenant capable, à mille mètres d'altitude, de mettre ma voile en torche, de la rouvrir patiemment et de rétablir la situation à quelques mètres du niveau de l'eau (comme je l'apprendrai à mes dépens, c'est moins dangereux sur l'eau !). La durée de mes vols s'allonge. Je me pose au bout de cinq heures, épuisé. Que c'est bon de repérer à un bruissement de feuilles la bulle d'air chaud, de s'enrouler à l'intérieur jusqu'à ce qu'elle vous relâche, l'estomac dans les talons, trois ou quatre mille mètres au-dessus du point de départ ! J'aime les buses, qui indiquent, elles aussi, les colonnes d'air chaud. De temps en temps, quand je vole au-dessus de leur nid, elles m'attaquent en piqué. Une fois, je survole le mont Blanc. Il est éclatant à mes pieds. Un aigle immense me surplombe.

Je suis fou de parapente. Je pars dans la montagne avec un sac à dos. Je m'arrête là où la beauté m'appelle. Au début, je porte même une casquette et une cravate ; j'ai perdu trop de casquettes et abîmé trop de cravates. À présent, j'ai des centaines de vols derrière moi. Je déroule crânement ma voile pendant que les autres s'agitent. J'observe l'herbe : je mesure les intervalles entre les bulles d'air chaud qui viennent l'aplatir. J'anticipe la prochaine, donne un simple mouvement de reins pour monter la voile juste au-dessus. C'est parfait ! Pendant que les autres amateurs s'élancent en tanguant dans le trou, je donne un petit coup de frein et m'élève comme un hélicoptère dans la bulle chaude que j'avais prévue.

Je me dirige en plongeant le haut du corps vers l'avant. Je crie ; je suis un aigle. Le bout droit de l'aile se relève en frémissant, je bascule le corps, la jambe gauche croisée sur la droite, la main gauche légèrement en avant, la droite à peine enfoncée vers l'arrière. Je m'enroule, m'enroule

encore, m'enroule toujours, jusqu'à ce que la
colonne d'air chaud m'éjecte par le haut, juste sous
un nuage, la plupart du temps. C'est interdit, mais
j'aime aller me perdre à l'extrême limite de la portance[1]. Personne ne me suit aussi haut. Je sors de
mon nuage, choisis une direction pour rebondir
sur une autre colonne. Je m'allonge en arrière,
tends les jambes vers l'avant pour avoir le meilleur
coefficient de glisse et allume une cigarette. Il
m'arrive même d'en rouler une. J'ajuste les écou-
teurs du walkman sur mes oreilles. Que de vols
ai-je faits en chantant *Norma* à pleins poumons !

Je vole sans fin, à des milliers de mètres au-
dessus des autres voiles, au-dessus des montagnes.
Deux Mirage passent sous mes pieds. Un planeur
me croise dans un sifflement vertigineux. J'ai eu
peur. Je suis au-dessus de la Suisse, sans passeport.
Je grignote une barre de chocolat et me désaltère
à la pipette placée sur le côté de mon casque. Je
n'ai plus envie de descendre. La radio m'appelle ;
je pensais les avoir tous mis au tapis. C'est Étienne.
Il n'a que seize ans ; il est au sol, quelques milliers
de mètres en dessous ; il a repéré ma voile.
J'enroule trois fois la lanière du frein autour de
ma main droite, bascule le corps en bloquant cette
main sous la sellette et la voile s'enfonce de plus
en plus vite ; elle est maintenant verticale, je tourne

---

1. Force perpendiculaire à la direction de la vitesse, ré-
sultant du mouvement d'un corps dans un fluide. C'est la
portance engendrée par le mouvement de l'air autour des
ailes qui assure la sustentation d'un avion (Dictionnaire
Larousse).

autour à l'horizontale. La voile et moi-même plongeons à toute vitesse dans un ballet infernal. Mille mètres, deux mille mètres, trois mille mètres de chute vertigineuse, maîtrisée. Je redresse la main quelques centaines de mètres au-dessus de l'axe d'atterrissage.

Je me lève alors dans ma sellette, attrape à pleines mains toutes les suspentes de la voile, hormis les deux du milieu ; je me rassieds, rabats la voile qui flotte sur les côtés et ne laisse gonflé que le caisson central.

Je m'enfonce vers le point d'atterrissage. À vingt mètres du sol, je libère la voile en agitant les freins ; elle se regonfle à quelques centimètres du sol et me dépose, tel un papillon sur sa fleur.

Je vis en trois dimensions, comme un ange.

Un jour, je me suis écrasé entre l'herbe verte et l'enfer.

Vols affolés

Je suis allongé contre la montagne, juste un peu engourdi. J'ai dû perdre connaissance. Max et Yves, mes compagnons de parapente, ont posé leur voile à côté de la mienne. Le docteur Max prend les choses en mains : il creuse un trou devant mon visage pour me permettre de respirer et alerte la station par radio. Je ne comprends pas pourquoi ils ne me touchent pas. Je leur parle, ma respiration est calme, alors pourquoi me demandent-ils sans arrêt si je peux respirer ? Un brin d'herbe me chatouille la narine, j'éternue, je ris. Max pique une colère contre la radio. Il exige un hélicoptère de Grenoble, pas de Chambéry ; Chambéry est pourtant plus près. Yves me parle comme à un enfant ; il a l'air de trembler. Il me semble que je ne peux plus bouger !

Je replonge dans l'inconscience. Un vacarme me réveille. C'est l'hélicoptère qui cherche à se stabiliser, confronté à la force des vents. Un médecin et un pompier sautent de l'appareil qui reprend de l'altitude et reste en surplomb. Je ne sens rien.

Habilement, ils me transfèrent dans une coque, sur le dos ; je vois le ciel et la machine. Ils vont m'emmener, les copains et les autres vont rester derrière. J'appelle Yves, j'ai compris qu'il y a un problème. Je lui demande de téléphoner à Béatrice immédiatement, de lui dire que ce n'est pas grave, que je l'aime, qu'il n'y a jamais eu qu'elle, qu'elle est ma lumière. « Appelez mes parents, dites-leur d'être gentils avec elle, de ne pas la laisser prendre la route toute seule. » Pendant dix ans, ils ont refusé ce parapente ; ils ont même dit un jour qu'ils ne s'occuperaient pas des enfants en cas d'accident. Béatrice pleure, je devrais réagir mais je suis coupable. Je pleure auprès d'Yves, je veux qu'il répète ce message à mes parents : « Prenez en charge les miens. » Yves me calme, je lui donne le numéro de téléphone de ma secrétaire pour qu'elle annule tous les rendez-vous prévus le soir même en Italie, le lendemain en Suisse, le surlendemain en Allemagne.

L'hélicoptère envoie un câble. Avant d'être treuillé, je demande pardon à Yves d'avoir gâché la journée. Je balance dans les airs, le copilote se penche pour me saisir et me hisse à bord. On ne s'entend plus dans la carlingue. Ils me mettent un masque à oxygène.

À Grenoble, nous atterrissons sur le toit de l'hôpital. Je suis amené au pas de course dans la salle d'anesthésie, les visages se penchent sur moi, nous conversons. Un homme, ce doit être le chirurgien, interrompt nos mondanités d'un « ce n'est pas tout, ça urge ». Ce sont les dernières paroles que j'entends avant longtemps.

J'apprendrai par la suite combien l'opération fut difficile. Béatrice et mes parents parviennent à rejoindre l'hôpital en quelques heures ; ils sont accueillis par le chirurgien. « Il a une chance sur cinq de s'en tirer. »

Après l'opération, mon corps refuse de respirer. Ils me plongent dans un coma artificiel pendant un mois, afin que la machine à respirer s'impose sans être rejetée par l'organisme.

Pendant tout ce mois, Béatrice reste à mon chevet, me raconte des histoires, au grand énervement des chirurgiens, qui jugent tout ceci inutile. Béatrice continue sans relâche. Elle organise son offensive pour me sortir de là. Elle contacte Fred Chandon, mon big boss, et André Garcia, l'ex-boss devenu ami. Ils me font admettre à l'hôpital de La Pitié-Salpêtrière à Paris. J'y reste plus de deux mois.

Encore quelques jours de coma et le professeur Viars opte pour une « parenthèse médicale ». Cela consiste à supprimer du jour au lendemain la totalité des médicaments octroyés, y compris les quatre-vingts gélules d'Imovane qui me maintiennent dans le coma.

Le choc est violent. Pendant une semaine j'oscille entre quarante et quarante et un de fièvre. Une hépatite se déclare mais, peu à peu, je « reprends conscience ».

Je reviens sur terre sous les yeux de Béatrice penchée sur mon berceau en verre ; je ne me souviens pas de ses paroles, juste de son regard. Pendant plusieurs semaines, je flotte dans un monde imaginaire.

Béatrice aménage le défilé permanent des proches. Ils viennent s'insérer dans les cauchemars qui m'habitent.

*

La réalité de mes visions est si forte que tout s'intègre en un monde virtuel.

Je suis à bord d'une petite embarcation motorisée. Ma course se termine à la rame. J'accoste juste de l'autre côté de ma chambre d'hôpital. Puis, un bruit assourdissant me transfère dans la carlingue d'un Mirage 40 piloté par un Espagnol. Je comprends plus tard que l'Assistance publique a embauché un Espagnol pour réduire ses dépenses. Le pilote doit me faire franchir le mur du son en piqué hors du territoire français. Tous les jours, je monte dans cet engin. J'en reviens lessivé, mais reposé. Finalement, l'appareil me dépose en Égypte, à l'est d'Alexandrie.

Le charioteur de l'hôpital me fait visiter les faubourgs de la ville. Il m'installe dans un café qui a tout d'une taverne médiévale. C'est une grande salle en bois disposée comme un centre commercial de plusieurs étages. Les gens viennent s'y entasser pour grignoter de la cuisine chinoise et prendre des bains turcs. D'autres, comme moi, sont allongés dans un espace réduit. On nous passe le narguilé.

Le charioteur m'emmène dans la salle des bains, toute de céramique blanche. Les jets de vapeur passent au-dessus de ma tête. J'essaie de me hisser sur les coudes, mais je glisse vers l'écoulement au centre de la pièce. Le charioteur m'a laissé. Je crie pour me dégager de l'aspiration, mais en vain.

*

Mirages, délires. Quand j'ouvre les yeux, je n'ai plus de corps !

*

Ma petite sœur Alexandra est là ; quelque chose la terrorise. Sa conversation est hoquetante. Elle va disparaître, livide. À ce moment précis, son ami Léo et une bande de drogués investissent la place. Ils tuent à l'arme blanche l'infirmière, se précipitent sur l'armoire à pharmacie et s'emparent des seringues et d'autres produits. En un crissement d'ongles, tout le monde a disparu. J'ai dû rêver. Mais le lendemain, j'entends à la radio que la police encercle un groupe de dangereux voyous qui dansent en vociférant autour d'une jeune femme ; elle a un couteau planté dans le dos. Ils n'ont pu encore approcher la victime. C'est Alexandra. Je crie.

*

Le cousin Nouns est venu ; il viendra tous les jours durant mon incarcération. Comme à l'accoutumée, il me raconte des histoires désopilantes. Je ris à en faire péter les tuyaux. Mon jumeau Alain lui succède ; claquement de talons, buste incliné sur le lit de verre, salut militaire : « Tiens bon, mon frè-è-ère ! » Léger redressement, son mutisme s'installe, garde-à-vous maintenu. Béatrice est là. « Rompez ! » À la chaleur de son regard, je sais que je vis. Elle me touche. Elle est la seule à se pencher pour m'embrasser où elle peut.

*

Nous sommes dans notre parc en Champagne. Emmanuel, le parrain polytechnicien de mon fils, et sa délicieuse épouse chinoise, Marie, sont là. La nuit tombe, frissonnante. Quand soudain, des oreilles de Marie sort une multitude de petits Chinois. Marie les rameute. Emmanuel a un petit sourire gêné. Il explique qu'il a fait une fausse manœuvre avec son ordinateur. Il me fait comprendre qu'une guerre mondiale s'est déclenchée par ordinateurs interposés. Des puces dévorantes s'échappent des écrans et attaquent les machines ennemies. Emmanuel donne les dernières nouvelles du front. En fait, ce sont les Tibétains qui, du haut de leurs montagnes et du bas de leurs salaires, ont déclenché les hostilités. Nous décidons, Emmanuel, Marie, sa nuée et moi-même, de nous rendre au Tibet. À l'origine, un jeune homme simple, aidé de

*sa femme et de sa mère, a monté une petite société
de puces au procédé révolutionnaire. Les militaires
chinois les ont faits prisonniers et les malheureux
travaillent nuit et jour pour approvisionner leurs
geôliers. Après des aventures inouïes, nous nous
échappons du Tibet pour tous nous installer à New
York. La guerre semble s'essouffler, faute de puces.
Tout à coup, A. B., P.-D.G. de KULG, envahit nos
bureaux avec une flopée de gorilles. Il est d'une
extrême douceur. Il s'intéresse aux travaux
d'Emmanuel et de notre ami. Derrière lui, une
femme rabougrie au fort accent espagnol lui hurle
des atrocités. A. B. exige de prendre la majorité de
notre société. Refus poli. Ils tranchent la gorge de
la vieille mère. Notre ami tibétain – dont le nom
m'échappe – s'envole avec un sourire de compassion
après s'être fait hara-kiri version tibétaine. Les survivants sont faits prisonniers. La guerre reprend.*

*Je suis suspendu dans une cage au plafond de la
chambre à coucher d'Isabelle Diange, la maîtresse
de A. B. Elle est entourée de jeunes drogués ; des
parties fines se déroulent sur la musique envoûtante
d'un protégé de A. B. De temps à autre, actionnée
par un système de poulies, ma cage descend juste
au-dessus du lit de Diange qui m'attend, somptueusement écartelée. Je la pénètre sans sortir de ma
cage. Mon Dieu, comment ai-je pu faire ? Parfois,
ils me lancent des cacahuètes. Elle en aime un autre,
un chanteur sans rival. A. B. est furieux et, surtout,
ruiné.*

*Soudain, une immense déflagration. Suit un
silence pesant. La ruine de A. B. a dû déclencher un*

atome particulier. Les cadavres jonchent le sol. Ils sont bleus, sans blessure apparente, si ce n'est leur monstrueuse grimace. Ils sont morts de froid, et ce froid gagne à présent les survivants. Je retrouve Béatrice et les enfants ; nous nous enfuyons en train, à la recherche de chaleur. Face à nous, A. B. est assis, moins bleu, vêtu d'une épaisse fourrure. Tous les paysages sont dégarnis par le gel.

On jette les morts par les fenêtres. Béatrice ne réchauffe bientôt plus les siens ; ses cernes et ses lèvres sont violets. Je tire le signal d'alarme, la porte dans la neige dure ; les enfants suivent en file indienne. Je trouve une cahute en terre cuite, entourée d'un immense tas de bois coupé. Nous restons autour du feu pendant quelques années. Malgré le froid persistant, le temps s'améliore. Un jour, notre fils, qui a mué depuis lors, découvre à travers la fenêtre une petite fleur blanche. Une perce-neige. Il nous faudra attendre trois ans pour que la terre se couvre de jonquilles jaunes, la couleur préférée de Béatrice. Nous retournons à Paris.

Rien n'a changé, je suis de nouveau dans mon lit d'hôpital. Un jour, je crois voir Reynier entrer dans la salle en pleurant. Est-ce sur moi, sur lui ou sur ces terribles événements qu'il pleure ? Je ne sais pas, il n'est jamais revenu.

Je reprends conscience des circonstances de l'accident.

Qui est cet homme qui m'enlève Béa dans un chalet ?

Ma cousine Catherine me présente un couple de chercheurs. Tous deux sont maigres, une profonde tristesse semble les habiter.

Ils ont mis au point un système électronique complexe qui permettrait de reconstituer les cellules médullaires[1]. Ils n'ont apporté qu'une partie de cette machine extraordinaire qui régénère talons et pieds.

Je veux l'essayer tout de suite. Ils entourent mon talon gauche d'un moule en plastique blanc ; de nombreux fils s'en échappent, rapidement connectés par nos deux scientifiques à une boîte dont l'aspect évoque un chargeur de batteries. Quand tout est prêt, ils attendent mon signal. Je n'ai plus rien à perdre. « Allez-y. » Au début, je ne sens rien, puis survient un léger fourmillement. Il s'intensifie en picotement, dégénère en grésillement. Au moment où l'odeur de chair grillée me parvient, ils coupent le contact. Ils replacent le moule dans sa boîte. La jeune femme me masse le talon avec un onguent verdâtre. Pas un mot. La cousine Catherine a l'air hébété. Un frémissement s'empare de mon orteil ; au bout d'un instant, je peux plier les cinq et actionner le pied autour de son talon.

Quelle merveille !

« Comment se fait-il que l'on ne connaisse pas votre technique ?

— Nous sommes en phase expérimentale, dit la jeune chercheuse. Nous n'avons pas terminé le prototype complet pour tétraplégique, mais d'ici six à

---

1. Médullaire : relatif à la moelle osseuse ou à la moelle épinière.

huit semaines nous devrions le présenter à la com-
mission des Hôpitaux de Paris. »

*

Le temps s'écoule ; je fais part à Béatrice de
l'inquiétude que m'inspire le silence des deux
chercheurs. À force de patience, Béatrice comprend que j'ai rencontré deux personnes par
l'intermédiaire de Catherine. Elle revient le lendemain et me dit que Catherine ne sait pas de qui je
parle.

Je rougis, comme lorsque, enfant, on me surprenait à mentir. Je suffoque. Béatrice cherche à
me réconforter en m'indiquant qu'elle approfon-
dira la question avec Catherine.

*

Le soir, l'infirmière m'explique qu'on a changé
mon traitement et augmenté le Prozac.

Le lendemain, j'ai du mal à me réveiller ; je suis
engourdi. Même mon pied gauche ne réagit plus.

*

Béatrice essaie d'éveiller mon intérêt en me
racontant des histoires de famille, en lisant des
journaux, en allumant la télé sur le canal de l'hôpital, mais en vain.

*

Un soir, je sors de ma léthargie, lorsque je vois à la télé les deux chercheurs s'exprimer avec véhémence. Je ne comprends pas tout de suite de quoi ils parlent ; j'ai l'impression que ce n'est pas du direct, que la bande vidéo se superpose à un programme.

Ils sont encore plus maigres. Ils s'insurgent contre la direction des Hôpitaux de Paris qui leur refuse la parole. J'essaie d'obtenir de la surveillante générale une copie de la cassette diffusée. Elle fait semblant de ne pas me comprendre. Je n'ai pourtant pas rêvé. Le charioteur me le confirme : il vient lui-même de les voir à l'écran.

Le soir, on augmente de nouveau mes doses. Mes moments de lucidité s'espacent.

Ils peuvent nous guérir, nous tous qui gémissons dans la respiration de nos trachéotomies. Tous ces gens qui passent des mois à l'hôpital vont recouvrer leur liberté.

Une nuit, j'ai du mal à respirer ; l'air de la machine ne passe plus dans la trachéo ; je sonne l'infirmière en appuyant sur le bouton avec ma tête. Personne ne vient. J'insiste. En vain. Je vais mourir étouffé.

J'ai dû perdre connaissance. Lorsque j'ouvre les yeux, le jour se lève ; le changement d'équipe se fait dans une heure. Il me faut résister jusqu'à la venue du charioteur. Quand il entre dans la chambre, il

*se précipite, comprend la situation et rétablit la cir-
culation d'air.*

*Je dors toute la journée. La nuit, dans le lit en
verre voisin, on dépose une jeune femme à la longue
chevelure noire. Elle hurle de douleur. À ce que je
peux voir, elle n'a plus de jambes. Les piqûres la
font taire. Au fond de la salle commune, une
lumière s'éteint, puis une autre. On rallume la première.*

*Les lumières s'allument et s'éteignent autour de
moi.*
Le jeu s'arrête lorsque ma lampe s'éteint.

*Je vérifie du regard : la machine à respirer fonc-
tionne toujours ; elle doit être branchée sur une
prise indépendante. La jeune femme aux cheveux
noirs et deux autres patients meurent.*

*Rien de tout cela ne devait filtrer à l'extérieur du
service. L'impression d'être la cible d'une machina-
tion ne me quitte plus. Je me sens coupable chaque
fois que l'équipe médicale observe le plus grand
silence en ma présence. J'ai le sentiment de les
menacer malgré moi. Ils ont éliminé les chercheurs,
je reste le seul témoin de leurs prouesses.*

*

J'utilise l'ordinateur pour transmettre un message à Béa. Deux heures plus tard, épuisé, j'ai

terminé mon S.O.S. Je m'endors. Je suis surpris de me réveiller après une si paisible nuit.

Béa vient, je lui fais signe de prendre la disquette et de la lire en dehors de ces murs : on pourrait la surprendre. La journée passe. Je commence à douter du bien-fondé de mes inquiétudes. Je m'assoupis.

*

Après le dîner, je suis réveillé par un vacarme assourdissant. J'entends de nombreux bruits de pas. Des cris, des ordres, des meubles bousculés, je crois même reconnaître le tir d'un fusil-mitrailleur. Ma porte s'ouvre violemment, une équipe pénètre dans ma chambre, prend position autour du lit. Ils sont habillés en CRS. Tous ont la soixantaine bien tassée.

Au final entre mon beau-père. Ancien préfet, il a rapidement pu prendre des dispositions pour me protéger et faire appel à des camarades de la DST.

*

Béatrice est là. Elle me parle des enfants.

*

Mon beau-père dispose ses troupes dans le couloir et sous ma chambre. Une bataille s'engage, ses hommes tiennent bon. Par mesure de sécurité, ils me transportent en haut du chêne dans le jardin. Je suis suspendu dans un hamac. Des tireurs postés sur le toit de l'hôpital abattent un de mes gardes avant d'être éliminés par une grenade. Les médias sont arrivés par grappes. Ils encerclent le champ de manœuvre. Je m'explique via un micro et demande la médiation du Premier ministre ; celui-ci arrive, très entouré. Il ordonne la fin des combats. J'exige que les chercheurs aient la possibilité de tenter une opération sur moi. Un appel international est lancé. Quelques jours plus tard, la jeune chercheuse apparaît, métamorphosée sous ses lunettes noires et ses cheveux teints. Elle est hissée dans le chêne avec son équipement. Elle est faible. Des escarmouches reprennent lorsqu'elle s'assure qu'une prise électrique lui a été réservée dans l'hôpital. La nuit tombée, toute tremblante, elle finit les branchements. Des fusées lumineuses éclairent la scène. Avant qu'elle n'appuie sur la commande, j'embrasse mon beau-père, le remercie, lui demande de protéger Béatrice et les enfants.

La jeune femme enfonce la manette, je ferme les yeux. Rien. Rien ne se produit. Puis soudain, une fulgurante boule d'étincelles. Je m'évanouis.

*

Je suis dans mon lit d'hôpital, immobile. Béatrice est là qui me parle des enfants. Les sanglots m'étouffent. Béatrice me demande si j'ai mal.

« Je n'ai pas de réponse à ton message, parce qu'au cours d'une mauvaise manipulation, j'ai effacé ce qu'il y avait sur la disquette. »

Tout bascule. J'entre dans un profond mutisme. Finalement, une nuit, bouffé par la culpabilité, incapable d'accepter mon état, terrifié par la folie qui me gagne, je décide de me supprimer. Mais un tétraplégique peut difficilement se suicider.

Je réussis à entourer le tuyau d'oxygène autour de mon cou. Je tire la tête en arrière. Je perds conscience. Une lueur vive me réveille. Les infirmières, alertées par l'alarme de la machine, me rebranchent, comme si de rien n'était. Dès lors commence le silence.

Kerpape

Voici déjà plus d'un an que je suis allongé. Béatrice me porte à bout de bras et de force ; je ne fais plus qu'un avec elle. Avec nos corps meurtris, nous sommes les chouchous de Kerpape, le centre de rééducation, situé sur la côte bretonne. Elle est si belle. Je marche sur l'eau dans ce monde d'épaves. La mer à nos pieds berce nos rêves. La formule sanguine de Béatrice connaît un état stationnaire, « une plage » que les médecins ne s'expliquent pas. Elle m'accompagne dans tous mes déplacements, m'encourage dans tous mes exercices. Nous avons des journées chargées.

Il m'a fallu des mois pour apprendre à m'asseoir ; on vous allonge sur une table de verticalisation, dans une salle percée de grandes baies vitrées qui donnent sur l'Atlantique. Jour après jour, on augmente l'inclinaison d'un degré jusqu'à ce que, triomphant, vous vous retrouviez debout, attaché sur cette table, et qu'enfin vous puissiez regarder les kinés et les aides-soignants dans les yeux. Finie cette vision de trous de nez ! Une fois verticalisé, vous pouvez vous asseoir dans un fauteuil.

Je suis quasiment allongé dans le fauteuil, la commande sous le menton. Rapidement, je deviens un as du volant et rivalise avec les enfants du centre, qui n'ont peur de rien. Cette jeunesse a beau souffrir atrocement, elle rit, elle est gaie. Son rire contamine les adultes. Comment ne pas être gagné par l'immense espoir qui règne dans ce centre ? Chaque patient est un cas unique. À la base de la hiérarchie, les « genoux », ceux qui remarcheront un jour. Ils se mettent à la disposition des tétraplégiques, définitivement au sommet de la paralysie. D'autres sont dans des tours de plâtre ; des structures métalliques dépassent du haut de leurs crânes. Ils sont si fragiles qu'on a dû les bétonner. L'un d'entre eux, un Africain, riait si fort de ses grandes dents blanches qu'il est lentement tombé en arrière. Il n'y a pas eu moyen de le retenir. Il s'est étalé de tout son long. On a entendu le bruit du plâtre et de la ferraille sur le sol ; il a survécu.

Béatrice a un mot gentil pour tous ; elle passe parfois du temps avec ceux qui n'ont pas le moral. On sait quand ils dépriment : ils sont absents de la cantine et préfèrent rester seuls pour pleurer dans leurs chambres ; elle cherche alors à savoir si elle peut leur rendre visite. Le personnel soignant est d'une douceur, d'une gentillesse inimaginables dans le milieu hospitalier. Les patients restent longtemps, un an en moyenne ; Christophe est là depuis cinq ans. Tout jeune, il a attrapé un virus ; à présent, il est tétra comme moi ; toute la journée, il a froid et ne décolle pas des radiateurs muraux. L'été, lorsque le soleil frappe les vitres, vous le trouverez derrière l'une d'entre elles, transpirant, mais gelé. Les tétras ont ce problème : le dérèglement thermique. Malgré les brûlures neurologiques qui me consument en surface, j'ai souvent les os froids. J'ai l'impression d'être un steak congelé qui vient de faire un aller-retour dans une poêle brûlante et qu'on mange encore croustillant de glace. Beaucoup fument pour se réchauffer ; ceux qui ont une trachéotomie fument par le trou béant de leur gorge.

Que de chemises, de pantalons, de couvertures ai-je brûlés ainsi, jusqu'à percevoir, insensible, l'odeur de chair grillée !

Nous avons donné un surnom à chaque aide-soignant ou infirmier : les Jaja de mon cœur, Dis-moi Madie, Cri-Cri, Do, Marie-Laine, Jo – et d'autres, Annick aux Baisers fougueux, Brigitte Candide, Yo-Yo Parfumée, Béatitude, Sophie la Rousse, Françoise ma Sœur, Louis le Druide, Jojo le Papa, Joël le Quintal, Jean-Paul le Toubib, Busnel le Big-boss.

Tous des anges.

Les tétras n'ont plus de muscles pectoraux. Ils respirent difficilement par le diaphragme. Il m'a fallu des mois pour dominer les réflexes nécessaires à ce type de respiration ; certains n'y arrivent pas. Ils restent en permanence branchés à une machine.

L'eau de la piscine est à 33 °C, pour que nous n'ayons pas froid. J'ai l'impression d'être un cosmonaute en apesanteur. Rien ne me retient, je pourrais me retrouver la tête en bas sans pouvoir réagir. Deux bouées me maintiennent sous les bras, une autre autour du cou. Mes douleurs semblent s'atténuer ; je flotte, l'eau caresse mon visage. Le bruit des enfants résonne ; je me laisse aller à une douce torpeur.

Lors des repas à la cantine, les fortes personnalités se révèlent ; d'un bout à l'autre de la salle, on s'envoie des histoires drôles. Tous les jours, un patient fait une « fausse route » : il se remplit les poumons au lieu de se remplir l'estomac. On peut en mourir. Le personnel soignant se précipite. Les autres attendent en silence. Quand la situation est rétablie, les rires reprennent de plus belle. Ils ont tous conscience de leur fragilité. Chacun respecte la souffrance de l'autre. Il existe entre nous une véritable fraternité. À deux reprises, mon fauteuil s'est mis en route sans que je puisse le contrôler. J'ai emporté la table contre le mur. Un cri d'effroi a retenti mais personne n'a été blessé.

Nos enfants vont à l'école de Larmor-Plage. Ils font partie de la grande famille de Kerpape.

Que de tristesse pour tous ces jeunes généralement amoureux, fiancés, voire récemment mariés, qui se retrouvent seuls. Ce sont surtout les hommes qui abandonnent les femmes cassées. Mais il y a aussi parfois des femmes qui craquent.

Des idylles se nouent entre fauteuils. Il y a une grande jeune fille toute voûtée, que son fiancé a abandonnée. Je crois bien que la moitié de la salle est amoureuse d'elle. Elle est triste.

Nous ne nous arrêtons jamais à l'étage des traumatisés crâniens. J'ai vu passer en silence une femme, ses quatre jeunes enfants et son mari. Tout à coup, l'homme s'est mis à hurler, à faire des gestes violents ; il n'était plus lui-même. La mère pleurait, les enfants s'agrippaient à elle. Il a fallu emmener le mari. Le traumatisé crânien, c'est l'enfer. Il ne change presque pas d'apparence, seulement de nature.

À l'hôpital, j'ai découvert la misère de la douleur, la solitude des estropiés, l'exclusion des vieux, des non-productifs, la perte d'innocence de tant de jeunes. Jusqu'à ce que l'accident me fasse entrevoir l'immensité de cette souffrance, j'en étais protégé ! Certains jeunes passent un an dans ces centres. Ils n'ont ni télévision, ni radio, ni visite. Ils se cachent pour pleurer leur désarroi, leur culpabilité, le sentiment d'une extrême injustice.

Cyril souffre d'une maladie évolutive qu'on n'identifie pas. Il meurt doucement sur son pauvre fauteuil. Un soir, il donne un spectacle. Nous sommes entre nous. Cyril est sur scène. Nous rions aux larmes de ses sketches. Les gestes saccadés en raison de son immense fatigue, il entreprend un strip-tease. Il termine nu dans son fauteuil auquel il a enlevé tous les accessoires, même les roues, puisque la Sécurité sociale ne peut pas les lui payer.

Nous rions tard dans la nuit avec Cyril et les autres. Béatrice s'est collée contre moi sur mon petit lit. Elle s'endort sur mon épaule. Jamais nous n'avons été aussi paisibles. Les amis s'occupent des enfants.

Nous aurions moins souffert si nous ne nous étions pas réveillés.

*

Béatrice est éreintée. Depuis seize mois, elle ne m'a pas quitté. Sa maladie semble s'être arrêtée. C'est un piège ; plus Béatrice se dépense pour moi, plus lourde sera la facture.

Je suis bien à Kerpape. Béatrice est l'amie de tous, nos enfants se partagent les patients. Je continue à suivre les affaires du groupe. Je prends des décisions ; j'ai l'impression d'être aux commandes. Béatrice doit se reposer. Il faut qu'elle change de décor, qu'elle retrouve ses repères. Elle ne veut pas me quitter. J'insiste. Elle s'accorde trois semaines en Corse. C'est un désastre pour elle, comme pour moi. Je n'ai pas fait le deuil de mon corps, je ne tiens que par sa présence. La dépression s'installe. Je m'enfonce dans le lit. Je perds l'usage de la parole.

Je n'ai pas encore donné un sens à l'accident. Après le départ de Béatrice, un silence trouble s'installe. Les psys tentent de me soulager. Me suis-je écrasé pour échapper aux dernières souffrances de Béatrice ? Ai-je offert ma tête sur un plateau au groupe qui, pour la première fois en cinquante ans, nous réclamait des licenciements par centaines ? Pour moi qui ai toujours cherché l'extrême, n'était-ce qu'une accélération de trop ? Ai-je voulu me rapprocher de Béatrice, partager ses souffrances, vivre ses angoisses ? Peut-être. En son absence, je n'existe pas.

Je n'ai plus de volonté, je n'ai aucune envie. Seule l'habitude me maintient en lévitation sur le lit fluidisé. Je voudrais dormir, mais n'y parviens pas. Des pensées me harcèlent. Je l'ai si souvent portée pour la soulager ; je l'ai si souvent fuie, aussi, emporté à tire-d'aile par l'angoisse. Comment ai-je pu être si lâche ? J'aimerais disparaître.

De ses missives quotidiennes perce le désarroi. Elle craint ne pas pouvoir tenir le coup ; les enfants sont turbulents, elle se sent affreusement seule dans cette montagne corse où la douceur n'existe plus. Les câlins, la tendresse d'une main, la tête d'un enfant sur l'épaule, revivrons-nous jamais cela ?

J'ai peur pour elle, seule dans son épuisement. Parviendrons-nous à retrouver la confiance ?

Jamais nous n'avions envisagé le désastre.

Abdel associé

Après une année de rééducation en Bretagne, nous abandonnons la Pitance. Béatrice nous installe dans un beau rez-de-jardin en plein Paris. Elle fait les travaux, aménage tout. Mon beau-père s'est adressé aux services des Armées pour que Jean-François, jeune légionnaire blessé lors de la guerre du Golfe, m'assiste dans tous mes mouvements. Il est taciturne. Il vit avec un chien-loup. Tout se passe bien pendant trois mois, jusqu'à ce que Béatrice soit à nouveau hospitalisée. Je demande à Jean-François de passer me prendre à l'hôpital à huit heures du soir. À onze heures, il n'est toujours pas arrivé. Il se pointe enfin, sans un mot, m'installe en vrac dans la camionnette aménagée. Le trajet s'effectue sur le mode « Pozzo, le retour ». Il ne s'arrête à aucun feu rouge. Mon fauteuil glisse de part et d'autre de la bétaillère. Soudain, au feu vert, il tire le frein à main, se met en travers de la chaussée, descend en tirailleur de la voiture, toujours sans un mot. Il tabasse les deux occupants de la voiture qui aurait cherché à le dépasser durant ses zigzags. Il remonte, définitivement muet, pour me « ramener » à la maison. Moi, rivé à terre, j'enrage, impuissant ; j'attends qu'il m'ait recouché avant de lui annoncer que ses services s'arrêtent là.

Il m'explique avec dignité qu'il s'est remis à boire. Nous nous séparons en bons termes.

Abdel se présente le premier, en réponse à une annonce passée par l'ANPE. Ils sont quatre-vingt-dix dont un seul Français ; je procède par élimination et ne retiens qu'Abdel et le Français, chacun pour une semaine d'essai. Je sens chez Abdel une personnalité, une intelligence des situations et quelque chose de quasi maternel. En plus, il fait bien la cuisine, même s'il laisse tout en désordre.

Le Français a le malheur de me dire qu'introduire un musulman chez soi, c'est comme y laisser entrer le démon. Il n'aurait pas dû car j'embauche Abdel le jour même. Nous avons aménagé pour lui un studio de vingt mètres carrés au dernier étage. Il est bien payé, nourri, logé, « blanchi ». C'est la première fois de sa vie, m'avoue-t-il un jour, qu'on le traite avec respect. Il a fait des petits boulots payés au lance-pierres. Comme il est d'un orgueil sans bornes – ce que je découvre par la suite –, il lui arrive de claquer la porte de ses employeurs dès la première journée, en les frappant au besoin pour leur apprendre les bonnes manières.

Il m'a parlé une seule fois de son traumatisme d'enfant. J'ai alors vu sur son visage des larmes de frustration. Ses parents avaient plus de dix enfants.

Ils l'ont « donné », à l'âge de trois ans, à son oncle paternel qui, lui, n'en avait pas. C'était, paraît il, la tradition en Algérie. Il ne l'a jamais accepté. Farouche solitaire, il se sent accueilli dans notre famille.

Il en veut au monde entier. Il mesure un mètre soixante-dix et, pour compenser, a développé une force peu commune. Il cogne toute personne qui lui « manque de respect », homme ou femme : « On ne frappe pas une femme », lui dis-je. « Elle n'avait qu'à pas me traiter de sale Arabe. »

Bien entendu, il ne mentionne pas le fait qu'il a accéléré lorsqu'elle traversait sur le passage piéton, qu'il lui a fait une queue de poisson ou qu'elle n'a pas répondu à son gringue.

Certaines femmes refusent ses avances. Mais je suis étonné du nombre de femmes faciles. J'en ai même vu inscrire leur numéro de téléphone sur la paume de leur main en présence de leur mari – ce qui ne dérange d'ailleurs pas Abdel. Une autre a accepté sa démarche en compagnie de sa mère et de sa fille.

Il faut dire qu'il est désopilant et possède un innocent culot qui doit titiller leur instinct protecteur, même s'il a l'air d'un petit diable.

Un après-midi, au téléphone, une femme hurle en sanglotant. Je la calme puis lui demande de m'exposer son problème. Je n'en crois pas mes oreilles. Elle a rencontré Abdel pour la première fois cet après-midi. Elle lui a demandé de l'inviter au restaurant. « Pas de problème », a-t-il répondu. Surprenant car Abdel refuse d'entretenir ses conquêtes.

Il s'est arrêté par « hasard » au bord du cimetière du Père-Lachaise et a commandé un « apéritif ». La jeune femme, qui ne doit pas en être à sa première expérience, me décrit en long et en large l'exercice auquel elle a dû s'adonner pour satisfaire le besoin pressant de notre bougre. Une fois soulagé, il lui demande de sortir quelque chose du coffre de la voiture... Il démarre sur les chapeaux de roues et l'abandonne. Je promets à l'ex-charmante d'engueuler Abdel.

Abdel rentre. Je lui raconte sur un ton réprobateur le témoignage que je viens d'entendre. Il met dix minutes à se remettre d'un fou rire et conclut qu'il a économisé un repas et un apéritif. Il m'en raconte bien d'autres jusqu'à ce que je l'arrête, écœuré.

Il n'y en a qu'une qui le terrorise, ma chère Laetitia. Je dois lui téléphoner moi-même dans sa chambre pour ne pas obliger Abdel à frapper à sa porte. Jamais, me dit-il, une fille ne l'avait traité comme ça ; ce qui lui fait le plus grand bien.

Quant à ses rapports avec les hommes, ils se résument à la loi du plus fort.

Il considère que, dans ce monde pourri, il faut être le plus vicieux.

Un après-midi, Abdel gare la voiture près de notre immeuble, devant le parking d'un voisin. Il repart vers l'appartement pour fermer les portes à clé. Je suis dans la voiture ; Laetitia est assise à la place du passager. Arrive une voiture immatriculée en corps diplomatique : le voisin. Il se met à klaxonner avec véhémence. Cela n'accélère en rien les mouvements d'Abdel. Il vient même vérifier que je suis bien fixé sur mon siège. L'autre, cramoisi, se cramponne à son Klaxon. Abdel s'avance lentement vers la porte du véhicule. Exaspéré, le voisin sort violemment de sa jolie Volvo et l'insulte. C'est un Américain qui dépasse notre larron d'une bonne tête et de quelque trente kilos. Abdel le saisit par le col : « Qu'est-ce que t'as, toi ? » L'autre, dans un français approximatif, s'insurge contre son négligé et son manque de politesse. Premier coup de tête. L'Américain saigne des gencives. Il est fou furieux. Il exige de voir l'employeur de son agresseur. Abdel, un peu plus blanc que d'habitude, indique que je suis à l'arrière de la voiture et surenchérit de deux énormes claques. Je suis recroquevillé dans mon fauteuil. Laetitia se couche sur la banquette, tant elle a honte. L'Américain, confus, recule jusqu'à son véhicule en s'excusant. Il libère la place pour nous laisser passer. Abdel rit pendant cinq minutes ; cette altercation lui a fait du bien. Je crois qu'il n'est soulagé qu'après avoir distribué son compte de coups dans la journée.

Que je lui fasse la morale le surprend. Lorsque je donne des cours d'« éthique et gestion » aux classes préparatoires, il s'endort généralement au bout de cinq minutes ; lorsque je témoigne sur l'espérance dans les lycées ou les églises, il ronfle debout.

Il est allé à l'école le moins longtemps possible, juste le temps de frapper un certain nombre de professeurs et d'assister au viol collectif d'un autre auquel, m'affirme-t-il, il n'a pas participé.

Il a vécu toute sa jeunesse dans une cité de la

région parisienne où l'on vit en apprenant à voler et à dealer. Il rit en évoquant les prisons françaises, de véritables hôtels. Selon ses dires, nombreux sont les habitants des cités qui y passent l'hiver pour être bien au chaud et en sortent l'été pour profiter des mauvais coups.

Il m'estime, je crois, parce que je considère qu'il est intelligent et mérite un avenir autre que misérable. Il perçoit notre milieu privilégié comme un monde extraterrestre, la seule réalité qu'il connaît étant la violence de la rue. Il élève néanmoins mon fils avec une grande gentillesse et Robert-Jean le traite comme son grand frère.

Abdel ne dort jamais que quelques minutes, dans n'importe quelle position. Sa conduite d'une voiture est aussi extravagante que celle de sa vie. Il s'assoupit au volant. Cela m'angoisse ; je suis obligé de le maintenir éveillé. Malgré mes efforts, il provoque quantités d'accidents, comme ce jour où je suis allongé sur le matelas antiescarre à l'arrière de la bétaillère. Nous roulons depuis déjà trois heures sur l'autoroute lorsqu'un immense fracas retentit. Je suis projeté entre la portière avant et le fauteuil du passager. Mon visage est couvert de sang, je ne peux plus parler. Les pompiers arrivent, prodiguent leurs soins aux autres passagers. Un des pompiers ouvre la porte arrière, la referme : « Il y a un macchabée ! » Abdel me dégage, redresse l'aile avant à l'aide d'une barre métallique. Il repart comme si de rien n'était, en vociférant contre cette femme qui lui aurait fait une queue de poisson. En fait, il s'était endormi.

Il ne le reconnaît jamais tant il est orgueilleux.

« Je suis le meilleur », dit-il toujours en riant. Il en est persuadé, et n'écoute aucune remarque.

Il est insupportable, vaniteux, orgueilleux, brutal, inconstant, humain. Sans lui, je serais mort de décomposition. Abdel m'a soigné sans discontinuité comme si j'étais un nourrisson. Attentif au moindre signe, présent pendant toutes mes absences, il m'a délivré quand j'étais prisonnier, protégé quand j'étais faible. Il m'a fait rire quand je craquais. Il est mon diable gardien.

Quatrième partie

Le second souffle

Témoins

Lorsque, après trois mois de réanimation, Béatrice emmène les enfants dans ma chambre, Laetitia fait de grands efforts pour vérifier que je la reconnais car la trachéotomie m'impose le silence. Elle se livre à un jeu surréaliste. Elle se faufile derrière les membres de la famille penchés sur mon lit de verre et leur fait des oreilles d'âne ou des grimaces. Je suis son manège avec émerveillement. Elle trouve dans mes yeux l'éclat de rire que ma bouche encombrée de tuyaux ne peut lui offrir.

Les remords existent. Ils sont inutiles et vous rongent à jamais. Si j'avais pu éviter cette journée du 23 juin, je n'aurais pas tant fatigué Béatrice, bouleversé les enfants, déchiré Laetitia et fragilisé Robert-Jean. Que d'efforts ils ont faits pour me maintenir dans le circuit ! C'était au-delà de ses forces, ce n'était pas de leur âge. De ce jour date mon présent.

*

Je suis sur un lit fluidisé qui me procure une sensation de flottement ; un air chaud propulse des billes microscopiques qui me maintiennent en lévitation. La chaleur, le ronronnement de la soufflerie, l'absence de repère temporel me soustraient à la réalité. Six semaines déjà que je suis absent, que mon cerveau s'amollit. Tout ça pour cicatriser mes fesses !

Les escarres sont la plaie de notre condition. Il suffit qu'un objet, un meuble soient en contact avec notre corps pendant quinze minutes – nous ne sentons rien –, et la chair s'ouvre. Il faut des mois de soins attentifs pour qu'elle se referme.

Plusieurs fois, j'ai eu droit à des escarres aux talons, aux coudes, aux genoux, au sacrum[1]. Elles étaient si profondes, les os étaient si dénudés qu'il a fallu opérer pour éviter une infection définitive.

Les escarres s'attrapent même dans les hôpitaux. J'ai beau avoir été bichonné, massé, retourné plusieurs fois par jour pendant trois mois au centre de réanimation, quinze jours en soins intensifs ont suffi à ce que les escarres se déclarent. Il a fallu neuf mois à Kerpape pour refermer cette première attaque.

*

Les heures, les nuits, les mois, allongé le regard au plafond, m'apportent une richesse que, brillant

---

1. Os formé par la soudure des cinq vertèbres sacrées et s'articulant avec les os iliaques pour former le bassin (Dictionnaire Larousse).

sujet d'une société de paillettes, je n'avais pas per-
çue : le silence.

Dans le silence règne la conscience. Elle situe
ce qui vous entoure. Dans le silence trône la personne. Tout d'abord, une certaine crainte vous
envahit. Aucun bruit ne vous emmène, aucune
sensation ne vous délimite. Une immense friche
désertique et inerte. Il faut se faire minuscule pour
retrouver dans cette désolation atone des éléments
de vie. Puis, vous observez enfin l'infiniment petit ;
le doigt d'une infirmière se redresse, vous fait une
piqûre indolore quelque part dans un corps que
vous ne sentez plus ; une goutte s'échappe d'une
compresse fraîche le long d'une tempe ; elle
s'engouffre dans l'oreille, vous chatouille jusqu'à
ce que le sommeil l'efface ; la pression du spara-
drap sur une narine qui force la courbure du tuyau
à oxygène ; une paupière bat la chamade d'épuisement. Un visage s'approche de vous : vous per-
cevez le bruit mais les paroles demeurent
incompréhensibles. Le mauve des paupières qui se
ferment sous le néon. Les yeux se renversent à
l'approche de l'obscurité. Plus rien. Le réveil hésitant : un bruit ou une pression sur le visage. Le
cerveau se met en veille. En ces heures où les yeux
restent clos, une faible activité reprend en vous.

Un jour, une voix. Ce n'est pas la mienne, elle
vient de l'intérieur. Plutôt une voix féminine d'ailleurs, peut-être celle de Béatrice. Elle m'interroge
comme si elle ne dépendait pas de moi et, devant
ma passivité première, souvent elle répond. Je
m'habitue à cette présence, j'articule des réponses.
Mais je ne reconnais même pas ma propre voix ;

j'ai l'impression d'être habité par deux pipelettes qui font salon dans ma tête sans y avoir été invitées. Elles sont amusantes ; c'est tout de même moi. Peu à peu, je fais autorité. Je réponds de plus en plus souvent à la place de la voix la plus masculine. Au début, les sujets sont étrangement anodins.

« As-tu compris où tu en étais ?

— Oui, oui, je crois.

— Que vas-tu dire à Béatrice quand elle vien-dra ?

— Un regard, grosse maligne ! »

Cette voix intérieure et la mienne discutent sans interruption, à tel point que je ne distingue plus qui est qui.

Pendant de nombreux mois, je regarde le pla-fond sans jamais m'ennuyer. J'ai fait le deuil de mon corps dans cet éblouissement de blanc. Je suis revenu parmi les vivants. J'ai dompté la voix qui aurait pu me faire passer pour un illuminé (il ne manquerait plus qu'ils m'enferment !). Oubliés les affreux moments consacrés à l'apprentissage d'une respiration sans machine, d'une vie compo-sée de ce qu'il me reste et de ce qu'on m'a ajouté. Raffermi par mon activité intérieure persistante, rassuré par l'amour de Béatrice, je me rétablis.

Je contrôle les rares sensations qu'il me reste. Je prépare les visites de Béatrice par d'intermi-nables palabres. Quand elle est là, je disparais. J'enregistre tous ses regards, ses mots. C'est alors, sans doute, qu'elle m'a inoculé le virus de l'espé-rance, que j'ai découvert ma conscience et que, par la suite, tout a rapidement pu s'enchaîner.

La foi en l'avenir se construit en silence. Les heures s'écoulent. Je n'ai pour tout objet de pensée que ma survie physique. Je ne dois pas bousculer l'espérance. D'horribles souffrances transpercent ce qu'il me reste de sensible. Elles me laissent haletant, le regard vide. À la moindre seconde de rémission, l'espérance se pointera. Avec elle, la renaissance.

Silence.

Dans cette débâcle, j'ose encore y croire. L'écart entre ce que je vis à présent et le bonheur que j'escompte fait naître en moi l'espoir.

Le handicap, la maladie sont fracture et dégradations. Dans ces instants où l'on perçoit l'échéance de la vie, l'espérance est un souffle vital qui s'amplifie ; sa juste respiration en est le second souffle.

Les coureurs de marathon connaissent le second souffle. C'est une sorte d'état de grâce. La respiration s'assouplit, devient plus profonde, la douleur disparaît. Je me suis étouffé durant quarante-deux ans. Nous nous étouffons à nous élancer trop vite, à vouloir être les meilleurs, les premiers. Ceux qui respirent mieux, au bout de quelques dizaines de kilomètres, sont ceux qui imaginent l'arrivée. Le but, c'est le festin divin, l'amour retrouvé. Cette vision de l'arrivée est essentielle.

Un marathon ne se court jamais seul.

À travers les cris, les confidences, les lits asep-
tisés pour être disponibles aux suivants, l'humanité est peuplée d'ombres et de gémissements.
Nous découvrons qu'il y a un avant et un après,
que les Anciens avaient déjà pensé le monde, que
l'Éternité est habitée par ceux qui nous ont pré-
cédés. L'espérance est ce pont qui nous mène de
la « voûte lumineuse des souvenirs à l'éternité[1] ».

*

Le téléphone sonne. Une voix céleste emplit la
pièce : « C'est Marie-Hélène Mathieu, présidente
de l'OCH (*l'Office chrétien des handicapés ; nul
doute que j'approche du ciel !*). Je vous ai entendu
à l'émission de Jean-Marie Cavada[2] et je voudrais
vous avoir comme intervenant dans les confé-
rences que j'organise.

— Je n'ai pas beaucoup de temps à vous offrir,
chère madame. Je suis bien peu croyant. Quant au
handicap, je n'ai qu'une réflexion de nouveau-né
dans ce domaine. »

Comment refuser ? Je n'ai pas envie de me bat-
tre. La conférence est dans trois mois ; avec un
peu de chance, les circonstances me viendront en
aide.

---

1. Khalil Gibran, *Le Prophète*, Casterman, 1970 ; Le Livre
de Poche n° 9685.
2. *La Marche du siècle*, où je témoigne sur la période qui
suit immédiatement l'accident.

« Je souhaiterais m'exprimer avec mon épouse qui souffre d'un mal depuis quinze ans. Par la grâce de sa foi, à nous deux, nous devrions faire une bonne petite moyenne !

— Quel titre souhaitez-vous donner à votre intervention ? »

La fatigue m'assaille, je n'ai plus de repère, juste une inspiration :

« Le second souffle.

— Très bien, nous annoncerons le second souffle de Philippe et Béatrice Pozzo di Borgo.

— Non, ce sera le second souffle de Béatrice et Philippe. »

Elle est surprise, mais je maintiens. J'ai l'impression qu'elle m'a permis de remettre le pied à l'étrier en me laissant exprimer cette intuition.

Pourquoi Béatrice et Philippe ? Dans mon extrême faiblesse, je perçois combien la maladie de Béatrice me permet de m'adapter au handicap avec une facilité inhabituelle. Je m'absente, mais ne me décourage pas. Ce n'est ni un sentiment de culpabilité vis-à-vis d'une femme qui a souffert et résisté quinze années durant, ni un sentiment d'orgueil mal placé qui m'obligerait à l'égaler. Non, c'est cette confiance qu'elle puise au fond d'elle-même. Tant qu'il y a encore de l'énergie, notre vie est une beauté en soi et il serait lamentable de ne pas l'apprécier. C'est ce même regard qui, après un mois de coma, m'accueille à mon réveil. Comment exprimer le second souffle sans commencer par Béatrice ? Petit à petit, la vie, la souffrance, les joies vraies, le plaisir de parler, la beauté se sont infiltrés en moi. Que de nuits passées couché à côté d'elle, à penser au monde, comme si elle était ma clé d'accès à la vérité.

Béatrice rayonne. Je l'accompagne du mieux possible.

Rien ne permet de distinguer sa maladie. Elle est toujours aussi belle, élégante, souriante, optimiste, attentive. Mais elle ne peut plus monter les escaliers et, tous les trois mois, elle s'allonge pour une éternité. Elle fait en sorte que tout ait l'air normal. Parfois, dans un moment de grande fatigue, elle crie son désespoir de ne pas être considérée comme une malade. Elle en veut au monde entier. En fait, elle s'en veut à elle-même d'avoir une telle soif de vie. Elle se serait bien laissée aller. Alors, je lui offre mon épaule pour qu'elle puisse s'abandonner, et elle repart.

Le soir de la conférence, son calme et son sourire expriment toute sa philosophie. Je regarde cette salle de cinq cents personnes séduites par sa force. Personne ne renifle ou ne tousse. Une foule attentive. Sa vie est là, née du premier souffle et illuminée par sa perception de l'éternité, quelles que soient les difficultés. Que leur dire après une telle démonstration, si ce n'est que le handicap se vit très bien si on n'est pas seul, s'il y a cette énergie à vos côtés qui vous électrise dans votre immobilité.

Cyprès de Béatrice

Béatrice est hospitalisée pour la dernière fois. Carmélite des temps modernes, elle habite une sorte de bulle en plastique transparent. Pour y accéder, je dois passer un premier sas de décontamination, m'habiller des pieds à la tête de linge stérile. Elle est au bout du couloir. Encore trois portes. Un fauteuil aseptisé m'attend. Nous restons deux mois sans pouvoir nous approcher, n'ayant l'un de l'autre qu'une vision floue et déformée par le plastique.

Béatrice contracte une septicémie généralisée. Elle ne peut plus ni boire ni manger ; même l'eau ne passe plus ses lèvres. Elle en est réduite à essuyer sans fin, avec des compresses, les glaires qui encombrent sa bouche. Durant cette délicate période, je la rejoins de l'autre côté du rideau qui assure l'asepsie.

Elle dit alors à son père : « Tu sais, Papa, j'ai vu le Christ. Il m'a dit : "Essuie ta bouche à mon manteau, il est du tissu qui efface toutes les souil-

Sans Béatrice, je n'aurais pas fait cet effort. Pendant l'année d'hospitalisation, j'ai découvert un monde qui m'avait échappé, un monde que je n'avais jamais regardé de très près, celui de la souffrance. Je ne connaissais que celle de Béa. C'était une interrogation privée, pas un phénomène de société. Après avoir fréquenté les services de réanimation où les gens hurlent, après avoir connu la solitude dans les chambres d'hôpitaux, on voit les choses différemment.

Au-delà des mots, au-delà du silence, on découvre son humanité.

Le corps, jusqu'alors porté aux nues, s'estompe peu à peu devant un esprit régénéré, une spiritualité ressourcée ; un renversement du cœur.

C'est au fond de soi, dans son intériorité, dans son mystère, qu'on trouve l'Autre.

L'ancien gominé privilégié que j'étais, maintenant crucifié sur son lit, imagine la cohabitation d'une humanité marchante et d'une humanité couchée. La croix universelle comme le point de départ d'un monde revisité.

lures." » Patiente, elle prend une autre compresse.
J'ai effacé toutes les souillures.

Enveloppe toi dans mon manteau de tendresse.
Béatrice vit ses dernières expériences terrestres
à la lumière de cette ferme espérance, dans cette
attente active.

Trois jours avant sa fin, ils la dégagent de sa
bulle en plastique. Trop tard. Ses yeux se sont déjà
fermés. Elle ne vit presque plus. Nos enfants viennent, chacun leur tour sur mes genoux. Ils sanglo-
tent tandis que je leur parle d'elle ; puis ils
ressortent avec leurs déguisements.

« Qu'il en soit fait selon Ta volonté » sont ses
dernières paroles.
Elle les a prononcées puis s'est enfoncée encore
un peu plus dans son lit.

Ils m'ont autorisé à la ramener chez nous. Les
infirmières la revêtent de son ensemble Infini couleur terre. Nous l'installons près de la cheminée
sur la duchesse brisée où elle aimait reposer. Abdel
pleure. Pendant trois jours, famille et amis l'entourent. Les yeux rougis, Céline, la jeune fille au pair,
maintient approvisionnée une table où tous se sus-
tentent. Mon père organise les funérailles. Il me
dit, en larmes, qu'elle lui a appris à prier. Abdel a
rapporté ses affaires de l'hôpital : il y a des écrits
et des lettres.

Elle tenait un carnet de bord.

De tous les événements relatés émanent la douceur, son amour pour les siens, sa confiance en Dieu, la foi en sa guérison. Avec obstination, elle s'engageait à vivre jusqu'à ce que son jeune Robert-Jean atteigne dix-huit ans. Quand elle s'est sentie partir, la même sérénité lui a donné la force de me pardonner, de trouver quelques paroles pour guider Laetitia et consoler Robert-Jean.

Puis, elle s'est tournée vers Dieu.

*

J'ai choisi le plus beau cercueil. J'y ai fait mettre une croix protestante. Nous préparons la cérémonie au temple et la messe à Dangu. Nos enfants sont magnifiques ; ils lisent la prière de saint Augustin qu'elle leur récitait sans qu'ils en saisissent le pathétisme, bercés par la douceur de sa voix ; ils ne voyaient pas glisser ses larmes. Je les remontais endormis dans leurs lits.

*

Lors des obsèques à l'église de Dangu, nos amis Nicolas et Sophie entonnent le chant qu'aimait Béatrice. Je m'enfonce dans mon fauteuil. Robert-Jean me tient la main ; il pleure. Laetitia a passé le bras sur son épaule. Le cercueil de Béatrice est couvert de pensées, roses et tendres, envoyées par un ami. Des milliers de fleurs blanches jonchent le sol. « Essuie tes larmes et ne pleure plus si tu m'aimes. »

Béatrice qui êtes aux cieux...

*

Nous passons au pied de la colline de Dangu, en haut de laquelle se trouve la tombe de Béatrice. Je ne peux y accéder qu'avec l'aide d'Abdel. J'ai toujours l'impression d'être sous sa tombe, comme si je ne pouvais l'atteindre qu'en levant les bras.

J'ai du mal à l'évoquer depuis son départ, il y a déjà plus d'un an. La nuit, je ne lui parle pas, je monologue à son sujet. Elle ne me prend pas dans ses bras pendant mes insomnies. Je la sens flotter juste au-dessus de moi. Son paradis doit être très proche. Elle est comme une fumée de cigarette, elle part de moi pour s'évanouir tout près de moi.

Elle n'a pas encore parlé. Elle reste telle qu'en ses derniers jours, immobile et silencieuse, si ce n'est la respiration rauque qui soulève à peine son thorax.

Quand je parle d'elle, les mots étreignent ma gorge. Aucun son ne se produit, seule une brûlure derrière les yeux.
Peut-être est-elle trop triste pour me parler ?

Parfois, Abdel me monte au cimetière. Il me pousse à travers le terrain inégalement nivelé. Les noms s'effacent peu à peu des tombes. Quelques marbres luisants gravés d'or abritent les derniers arrivés. Béatrice est la première du clan à être enterrée sur le continent. J'ai voulu la garder près de nous jusqu'à ma mort ; j'ai prévu de la ramener en Corse avec moi par la suite. Dans la chapelle, il y a moins de monde, des bruits animent la nuit, les odeurs du maquis flottent dans l'air, la vue est si belle.

Laetitia a organisé une réunion de famille dans ce cimetière. Tous sont venus ; les petits se sont accroupis autour de sa tombe. Seule Valentine, dix ans, ne pleure pas ; elle s'obstine à redresser les pots de fleurs balayés par le vent.

Quand je viens, je m'installe devant la tombe ; la présence de Béatrice y est diffuse. Je la sens dans le doux sifflement des cyprès. Elle disparaît quand je redescends de la colline. Elle ne me suit pas dans le nouvel appartement.

Une seule fois, je l'ai entendue rire : lorsqu'une jeune femme m'a embrassé. Elle a un rire de petite fille heureuse, quand nous sommes seuls l'un contre l'autre. Elle oublie son corps et s'échappe avec moi comme une enfant trop gâtée. J'ai oublié ce rire dans les crispations des derniers mois.

Son regard s'est tourné vers le ciel et je l'ai suivi.

Des heures durant, elle prie. J'essaye de me fondre dans son regard. Je revis ces instants d'une gaieté inouïe. Elle prie comme si elle se libérait de ses souffrances. Sa joie est devenue la prière de tous. Elle m'a tiré vers le haut. Il existe puisqu'elle est avec Lui.

Mes propres sentiments sont des ombres chinoises ; seules restent ses douleurs que j'ai faites miennes, et son absence quelque part près de moi.

Je m'engouffre parfois durant des semaines dans mon lit ; j'abandonne les autres ; jusqu'à ce que j'entende Robert-Jean s'agiter près de moi ; que je perçoive Laetitia qui cherche à me faire boire ; que je sente la présence d'Abdel qui attend, installé dans mon fauteuil. Ils me ramènent sur terre.

La facilité avec laquelle je reviens me surprend. Je m'entends rire. Je suis fier de mes enfants. Je rejoindrai pourtant Béatrice sans appréhension, avec soulagement même. Il y a des moments terribles : je veux flotter, mais les autres me retiennent. Aujourd'hui, je ne sais plus de quel côté aller. Peut-être qu'avec le temps, mes enfants, les enfants de mes enfants, une femme... je finirai par me tenir immobile dans ce fauteuil à bascule.

*

Béa est partie. Laetitia et Robert-Jean restent. Nous étions bien tous les quatre.

Dans les moments d'ultimes souffrances, je pense que mes digues vont céder, ma tête exploser : les yeux sont déjà révulsés, le corps arc-bouté ; depuis longtemps, je ne parle plus. En une manœuvre désespérée, je coupe tout. Je disparais dans l'inconscient avec pour seule obsession : tenir encore cette fois pour nos enfants chéris.

Je me suis senti seul dans mon lit pour la première fois le jour où la mère de Béatrice m'a annoncé qu'il n'y avait plus rien à faire, quoi qu'en disaient les médecins. Plus rien. Il ne reste rien de la formidable présence de Béatrice, rien qu'une douleur perpétuelle au fond de la gorge. Plus rien de l'homme d'action, cassé non par le handicap mais par l'absence. Seule subsiste l'angoisse pour nos enfants. Je reste au lit. La maison fiche le camp ; Céline, la jeune fille au pair, ne fout plus rien, moi non plus. Seules quelques personnes fréquentent encore notre trio. Les beaux-parents bien sûr, la belle-sœur Anne-Marie, quelques vieilles copines qui s'essoufflent face à la déprime.

Le reste de la famille est bien discret, anesthésié par notre silence et sa pudeur. Les seuls bruits quotidiens sont ceux des enfants ; à neuf heures dix, le coup de fil plein d'esprit et de compassion de Tante Éliane, le chahut d'Abdel, l'activité matinale des aides-soignantes – et encore, pour certaines d'entre elles, je n'ouvre même plus les yeux – et Sabrya, bien sûr.

J'aime Béatrice. Au fil des jours, je retrouve ses écrits de souffrance. Excepté quelques brouillons de lettres qu'elle m'adressait lors de mes longs séjours à l'étranger, il ne reste que cette souffrance. Près de vingt-cinq années de vie commune, un bonheur inouï, insolent, que nous savourions innocents et superbes. Et seules demeurent à présent ces quelques pages désastreuses, de solitude, de doute.

À la mort de sa mère, Laetitia a lu ses écrits ; elle en a été bouleversée. J'ai trouvé ces bouts d'horreur griffonnés avec peine, éparpillés sur des feuilles volantes et sur deux petits cahiers, l'un vert et l'autre rouge. Si j'avais pu ne jamais les voir. Ils

encadrent d'un trait noir nos moments de bonheur.

*

Quand je lis un de ses « faire-part », je reste
couché pendant des jours. Mon orgueil m'aveu-
glait, je ne savais pas. Ils occupent presque toutes
mes pensées. Le jour, je m'en fais scotcher sur le
plateau incliné au-dessus de mon lit ; la nuit, leur
présence sur la petite table à mon côté est insupportable. Je voudrais me retourner de l'autre côté,
là où Béatrice dormait, mais seule ma tête se penche à gauche pour laisser s'écouler les larmes.

Ils ne sont jamais datés précisément. Mis bout
à bout, ils remplissent à peine une vingtaine de
pages. Chaque mot est un cri de désespoir. Certains passages me ramènent à des épisodes qui
avaient glissé de ma mémoire. Ils révèlent la déchi-
rure d'une beauté qui n'a pu engendrer que
fausses couches et mort-nés, l'inquiétude d'une
femme bouffée par un cancer invisible, si belle aux
yeux de tous mais qui se savait pourrir de l'intérieur ; l'épuisement d'un être qui aurait tant voulu
et qui n'a pas pu. À bout de forces, elle a dû subir
l'ultime affront lorsque celui qu'elle aimait encore
s'est brisé la nuque sur une terre qu'elle aurait
souhaitée douce pour ses derniers moments. De
douloureuse aimante, elle est devenue une Pietà,
encombrée d'un corps disloqué. Elle, la crucifiée,
m'a ressuscité. Suprême ironie. Elle est ensevelie
sous son sourire. Moi, je me suis envolé comme

un beau diable, pour échapper à ses jambes saignantes, son sang pourri, son effort qui me faisait honte. Je surfais sur les vies. Je venais toujours la reprendre dans mes bras sur son immense lit. Sourires amers pour une grâce qui a tant dissimulé ses larmes, elle qui méritait la compassion depuis des années.

*

J'ai décidé de repartir pour Crest-Voland, de retrouver l'endroit où je me suis écrasé et, comme pour exorciser l'accident, d'y revoler en fauteuil. Gaminerie ! Mes vrais amis sont ces fous volants que Béa n'appréciait guère. Ils sont envahis par un sentiment de culpabilité, je veux les soulager. Je meurs d'envie de prendre un courant ascendant qui me mène à cinq ou six mille mètres d'altitude. Là, je parlerai à ma femme à voix haute, comme il m'arrive de le faire quelquefois la nuit. Dans l'éclat de la montagne, j'aurai l'impression d'être plus près d'elle. J'ai parfois le sentiment obscur de vouloir la rejoindre, comme j'ai eu la tentation de la quitter après l'accident. C'est irraisonné et enfantin.

Je me réjouis également à l'idée de voir Abdel sur un vol en double, hurlant à qui veut l'entendre qu'il n'a jamais voulu monter.

*

Mes amis ont aménagé un siège spécial qui se gonfle lorsque la voile prend de la vitesse et devrait amortir mes arrivées. Yves, accroché à l'arrière de ma sellette, tient les commandes. Nous avons décidé qu'il suivrait les instructions que je lui transmettrais par des mouvements de tête. Tête à gauche, tu tournes selon l'angle indiqué ; tête en bas, tu freines ; tête en haut, tu relâches les freins. Nous volons trois fois. Au démarrage, toute l'équipe nous porte et nous donne de la vitesse. D'une légère inclinaison de tête vers le bas, je signale à Yves qu'un coup de frein s'impose pour décoller.

Je retrouve la sensation du vol, concentrée dans la tête, avec le reste, je ne sens rien. Nous survolons nos parcours habituels. À un moment, Yves me hurle que je prends des risques : nous sommes trop près de la forêt. Mais je sais que, en rasant le sommet des arbres, nous aurons suffisamment de petites bulles pour nous maintenir en altitude ; nous pourrons rejoindre la crête à quelques centaines de mètres de là et voir toute la vallée d'Albertville s'engouffrer et rebondir sur le sommet. Yves hésite, je lui fais signe qu'il faut me suivre. Soudain, c'est l'ascenseur ; en quelques secondes nous avalons des centaines de mètres. Nous sommes au-dessus de la pointe, nous tournoyons. Spectacle magnifique ! Nous essayons de reprendre de l'altitude, cependant les conditions ne nous le permettent pas. Nous replongeons sur la forêt. Nous suivons les oiseaux, poursuivons les autres voiles. Nous pourrions rester une éternité, mais Yves indique qu'il faut rentrer. Cela fait un peu plus d'une heure et demie que nous volons.

Je ne sens aucune fatigue. Une résurrection. Nous passons la dernière pointe rocheuse et filons vers le chalet. Pour garder les bonnes habitudes, j'oriente Yves vers la colline qui surplombe le chalet et lui demande de faire un vol en rase-mottes. Nous sommes à moins de trois mètres du sol, nous zigzaguons. Quel plaisir ! Yves se positionne dans l'axe d'atterrissage, vent de face. Soudain, au moment de toucher le sol, le vent s'inverse. Nous sommes projetés à plus de quarante kilomètres à l'heure. Je n'ai pas de jambes pour l'aider ; nous nous effondrons. Mon visage sert de frein. Quelques dizaines de mètres de labour et nous nous immobilisons ; nous éclatons d'un rire qui gagne tous les amis venus assister au spectacle.

Mon visage est en sang. Je garde la trace de cet atterrissage pendant quelques semaines, mais quel soulagement !

De retour à Paris, j'invoque un accident de fauteuil. Excepté Laetitia, personne ne se doute de mon irresponsabilité.

Âme corse

Quelques mois seulement après la mort de Béatrice, je suis en Corse, dans la tour qu'encadrent les montagnes, un endroit qu'elle aimait tant.

Les volets de ma chambre ont été tirés ; la pénombre s'est installée dans mon cerveau.

Hier, j'ai commencé à dicter quelques mots, mais le magnétophone n'a rien enregistré. J'ai pleuré derrière mes lunettes de soleil, de fatigue, de tristesse, de résignation. Le cousin Nouns est venu. Il a tenté de me faire rire, de me faire parler des vols en fauteuil, récidive du mois précédent. Je colle à ma tristesse, les yeux me brûlent. Je m'endors. Une brise froide descend la montagne et me réveille. Une cloche tinte : la vache d'un voisin. J'appelle. Françoise, la gardienne, vient en vociférant. Je n'ai même pas la force de lui parler de Béatrice alors qu'elle a tout organisé pour sa dernière messe ici, à Alata, pendant que nous l'enterrions sur le continent. Je lui dis que nous reverrons ensemble les photos, elle me parle des témoignages d'affection ; je sais, Françoise, que vous vous êtes installée ici il y a environ vingt ans, à la suite du décès de votre fille unique ; vous dites que ça a été votre planche de salut, cette solitude dans la montagne corse. Je trouve tout cela douloureux. Vous m'apportez une bouteille de votre fabrication à base de noyaux de pêche, d'alcool et de vin du pays. Nous y prenions grand plaisir avec Béatrice. Ce soir, je ne lui trouve que l'amertume des noyaux. Nous regardons la vallée ensemble. Deux buses tournoient à l'horizon, elles ont dû trouver un courant ascendant. Même la vache cesse de ruminer. C'est la paix du soir. L'eau de la fontaine coule. Une lumière incertaine s'installe. Quelques centaines de mètres plus bas se trouve la chapelle mortuaire de la famille dont j'étais si fier. Je disais qu'il était bon de savoir où nous passerions notre éternité. Facile à dire.

Les battements de cœur emplissent ma tête. C'est insupportable. J'ai plus de vingt de tension, je suis couvert de sueur, je ne sais plus ce que j'ai, j'aurais souhaité ne pas souffrir, parler de Béatrice, m'endormir dans la tranquillité de cette montagne. Les crises se succèdent. Céline s'assied au pied du fauteuil dans lequel je m'agite. Elle propose de me lire le roman que j'ai voulu commencer. Dans mes convulsions, je parviens à entendre quelques passages où il est question de Rimbaud, Verlaine, Longfellow[1]. Quelle part de hasard dans tout ce qui nous arrive !

Je ferme les yeux, Céline reste près de moi. Elle reprend son roman de gare. Je me calme ; la pré-

---

1. J.-M. G. Le Clézio, *La Quarantaine*, Gallimard, 1995.

sence d'une jeune femme, aussi éloignée soit-elle de Béatrice, agit sur moi. Elle pourrait me prendre la main, je ne lui en voudrais pas. Abdel m'a donné une drogue pour m'endormir ; je sens que je pars. Je sombre.

Mon râle me réveille. Petit à petit, je discerne les bruits de la maison, les enfants s'agitent ; j'avais oublié. Tout à coup, le monde me revient à travers mon râle rauque et brûlant. Je n'ose appeler, de peur de produire une note discordante dans cette ruche qui s'égaie. Peu à peu, les dernières images de la nuit me reviennent. Abdel me transfère sur le lit. Il fait une mauvaise manœuvre, je me sens partir vers l'arrière dans mon fauteuil ; j'ai peur de partir pour la dernière fois. Il ne me reste que la tête et je n'ai rien pour la protéger. Abdel s'arc-boute pour amortir la chute. J'entends ma tête heurter le sol. Au bruit du choc, je sais que ce n'est pas pour cette fois. Mon cousin Nouns vient prêter main-forte avec sa bonne humeur habituelle ; il me regarde, allongé sur le dos, les jambes toujours accrochées à ma chaise : « Ce n'est pas le moment de faire une partie de jambes en l'air ! » Je suis si loin de tout, je ne sais même plus ce que cela veut dire. Je ris en pleurant. Il me redresse, me pose sur le lit, je m'enfonce dans le matelas antiescarre. J'aimerais m'y noyer. Abdel tente une nouvelle manœuvre pour me redresser. Il aurait mieux fait de s'abstenir. Les bras pris sous les épaules volent en l'air, accrochent le mur de plâtre rugueux ; deux de mes doigts explosent comme des fruits mûrs, le sang coule. Je pleure, je ne sens rien, je n'ai pas mal, je pleure, je ne m'appartiens plus, ce corps se désintègre. Je n'y peux rien.

Je voudrais commencer à te parler, Béatrice, mais l'angoisse m'inonde. J'ai l'impression d'être indésirable ici-bas, de devoir me retirer. Je vais mourir seul dans ce lit. Ma tête se comprime à nouveau, je n'ai pas envie de partir tout de suite. Je contrôle ma respiration compressée. Je fais de gros efforts pour expirer cet air qui s'accumule dans les poumons. Les contractures me prennent en permanence, je suis raide, refroidi comme si j'avais déjà passé l'arme à gauche.

Abdel m'habille. Je lui demande de m'installer sous le tilleul près de la fontaine. Encadrant le paysage, deux acacias refleurissent après l'incendie d'il y a trois ans. De temps en temps, un coup de marteau résonne : les ouvriers travaillent à la restauration du château.

En un siècle, ce château s'est effrité sous l'effet de l'air marin ; l'incendie l'a léché plusieurs fois jusqu'à ce qu'en 1978 son toit s'embrase pour de bon. Des Canadair ont alors été mobilisés ; rien n'y a fait. Des centaines de pompiers ont cherché à sauvegarder ce monument. Trois pompiers ont été entourés par le feu. Le plus jeune d'entre eux s'est enfui ; les deux plus expérimentés s'y sont enfoncés. Le jeune a vite été rattrapé. Il est mort à quelques centaines de mètres de l'endroit où je me trouve. Sur le bord de la route, en contrebas, j'aperçois la plaque posée en sa mémoire. Depuis, chaque 7 août, s'y déroule une cérémonie qui réunit la fanfare du village d'Alata, les pompiers de la ville, le maire, quelques autres officiels et la famille. Pauvre soldat du feu qui gît tristement sur le bord de la route des ducs Pozzo di Borgo ; tu t'en fous qu'un de ces Pozzo ait une pensée pour toi. Tu aurais préféré vivre. Tu es coincé entre les survivants Pozzo de la tour et les morts Pozzo de la chapelle.

À nouveau la cloche tinte dans mes oreilles. De ce bruit et de mes délires, je ne sais pas ce que le magnétophone va enregistrer. Je devine la vache juste derrière moi, mais je ne peux pas me retourner. Je pense qu'elle ricane en voyant cet invalide qui parle tout seul. T'inquiète pas ma vieille, un jour on te rattrapera !

Les morts de notre montagne, il y en a partout. Un hélicoptère militaire passe au loin. Il est du même type que celui qui est venu me chercher lors d'une expédition en parapente, il y a quelques années. La famille devait pique-niquer sur la plage. J'avais décidé de les rejoindre en parapente en partant de la Punta, juste au-dessus du château. Je ne connaissais pas la topographie des lieux ; je voyais une pointe et imaginais pouvoir la survoler pour redescendre vers la plage. Je me suis élancé à six heures du soir en short, petit maillot de corps et tennis. Je me suis esquinté derrière la pointe, dans un maquis de trois mètres de haut. Ma voile pliée, j'ai rampé dans des traces qui semblaient être celles d'un sanglier. Je pensais me relancer après le sommet suivant mais, au bout d'une heure de progression pénible, je me suis retrouvé sur un pic qui ne donnait évidemment pas sur la plage recherchée. Trop tard pour faire demi-tour. Je n'avais plus qu'à passer la nuit dans le maquis, enroulé dans mon parapente sur un rocher.

J'ai su par la suite que Béatrice avait appelé les gendarmes.

« Quel âge a donc votre fils ?

— Mais il s'agit de mon mari !

— Et alors quoi, ça ne vous est jamais arrivé qu'il ne soit rentré qu'au petit matin, votre mari ? »

Elle a eu beau insister, ils lui ont demandé de rappeler vers six heures du matin. Ils ont alors envoyé un hélicoptère me secourir. Il m'a transporté jusqu'à l'hôpital où l'on a vérifié que je n'avais aucune fracture et que mes coupures étaient purement superficielles. Ils ont même eu la gentillesse de me ramener à la maison. J'ai pris une douche en vitesse, ai revêtu costume et cravate pour rejoindre une réunion avec le président du groupe, à Paris. J'ai à peine eu le temps de voir Béatrice, épuisée par une nuit de veille. Elle a quelque peu suffoqué lorsque je l'ai embrassée en lui disant : « À demain, ma chérie. »

*

Ce soir, je m'enfonce en moi. J'essaie de sentir les limites de mon corps à travers ses douleurs : la tête, relativement soulagée bien qu'un peu comprimée, le visage et le cou démangés par des allergies, les épaules contractées en permanence. Celle de droite subit une décalcification liée au choc de la chute. Pendant six mois, on a essayé de la soigner avec des piqûres de calcium qui m'ont donné fièvres et nausées tous les soirs, avant de m'abrutir. Le médecin a dit : « Vous avez dû faire une sérieuse chute. » Était-ce de l'humour ou le détachement du spécialiste qui ne voit pas plus loin que ses radios ? Cette épaule me fait parfois très violemment souffrir. Personne ne peut alors me toucher. Je ne respire plus, je ferme les yeux, je sais que ça va passer, qu'il me faut attendre une minute ou deux. Cela n'a pas d'importance, on a connu plus grave. « Si, si, ça va passer je vous assure ; non, non ne me touchez pas, non ne touchez pas l'épaule ! » Tous mes nerfs se dérèglent à partir des épaules. Par moments, je brûle tant que je demande à être couché dans le noir. Je pense à la vierge folle de Rimbaud : « Je souffre vraiment, Seigneur, un peu de fraîcheur, s'il vous plaît. »

Des écrits de Marc Aurèle, j'ai lu : « Donne-moi la force de lutter contre les souffrances que je peux supprimer ; donne-moi la patience de consentir aux souffrances que je ne peux pas changer, et n'oublie pas de me donner la sagesse de savoir faire la différence. »

*

Allongé dans la nuit de ma chambre, je perçois l'écœurante odeur des préparatifs culinaires. Nous recevons demain quarante Corses de la montagne ; cela fait longtemps que les Pozzo n'ont pas reçu comme des seigneurs. Abdel est chargé des opérations ; il a prévu un méchoui. Cet après-midi, il est descendu choisir un mouton chez un berger voisin ; surpris de la maigreur du troupeau, il s'est rabattu sur une femelle de trente-deux kilos. Il revient, débarque la bête. Elle est ligotée par trois pieds, le quatrième reste libre. Il part chercher des couteaux. Je ne suis pas sûr d'avoir envie d'être là. Je pense à Béatrice ; je l'ai vue dans ce mouton ; je me suis vu dans ce mouton. Elle, condamnée, moi paralysé. La bête essaye de glisser sur le sol avec sa quatrième patte, mais elle ne fait que tourner sur elle-même. Combien de fois ai-je rêvé de m'échapper de ma paralysie ? Combien de fois me suis-je rêvé valide, enlevant Béatrice de ses lits d'hôpitaux pour la ramener près de moi, dans notre lit, et qu'elle s'éteigne dans mes bras ! Le boucher de la Faculté l'a gardée jusqu'au bout. Il l'a achevée. Comment a-t-elle pu souffrir tant de tortures sans jamais se plaindre ? Toute sa vie, elle a lutté contre les médecins, contre leur pouvoir.

D'un coup sec, Abdel tranche la gorge de la brebis après lui avoir palpé la carotide. Le sang jaillit, d'un rouge clair, comme un jus de fraise. Soudain, je retrouve la respiration de Béatrice les derniers jours ; ils l'ont tuée bien avant que je ne m'en rende compte. Il ne lui reste que cette respiration saccadée ; les yeux sont fermés ; les membres ne bougent plus ; il n'y a que cette poitrine oppressée qui se soulève en saccades brèves, brutales. Suit une longue période de repos total.

Abdel annonce que la bête fera ses derniers soubresauts dans une minute. La patte libre s'agite dans tous les sens. Abdel et moi constatons qu'il s'agit de contractures : le mot qu'on utilise pour les mouvements saccadés et incontrôlés de mes membres. Une dernière contracture, véhémente, et Abdel, sûr de lui, délie les trois autres pattes. À l'aide d'une corde, il suspend l'animal au-dessus d'une bâche. Il va chercher Françoise pour les photos de famille. Nous sommes installés sous le tilleul près de la fontaine. Françoise nous prend en photo, Abdel, le mouton et moi.

Il introduit une tige le long d'une patte, entre la peau et la chair. Il souffle dans le trou comme dans une cornemuse, la bête gonfle, triple de volume. L'opération terminée, il demande à Françoise de lui passer une cordelette pour fermer l'ouverture de la patte, et se met à frapper l'animal. Le bruit mat résonne sur la tour, quel acharnement ! Après avoir « fatigué » la bête, Abdel prend son couteau, commence à la dépecer ; en moins de dix minutes, il l'a dénudée. Il ne reste plus qu'à la vider, récupérer les abats pour faire cuire les légumes ; ce qui répand cette odeur âcre dans ma chambre ce soir.

Les Sanguinaires

Couché sur le dos, dans la même position depuis presque trois jours, je ne souffre plus, mes yeux sont clos. J'entends des coups de marteau au loin. Je n'ose y croire : je n'ai plus mal. À sept heures, j'appelle Abdel ; il se lève comme un automate – il ne dort plus depuis trois jours : « Abdel, mettez-moi du Schubert, s'il vous plaît » ; je respire avec difficulté ; qu'importe, je n'ai plus mal. Abdel me sert le petit déjeuner.

« Abdel, voulez-vous me lire un Psaume, s'il vous plaît. » Dieu est bon, il y a un chemin de salut pour ceux qui souffrent. Je ne sais pas, je suis épuisé. J'ai du mal à saisir ces mots tellement sûrs de leur sens.

La fête commence le jeudi soir. Nous dînons, puis nous réunissons dans l'immense salle de garde pour écouter les chanteurs d'Alata. Une grande douleur dans ces chants. Des tonalités arabes, des sons aigus, des voix très basses répondent aux vibrations de la montagne et aux cris des buses qui la survolent en tournoyant. Je suis fatigué, mais je ne peux me résoudre à quitter la salle. Ils chantent pour moi, pour Béatrice. Je leur ai demandé le *Salve Regina*, les douleurs de la Vierge. Les voix s'élèvent, et je m'enfonce en moi. Béatrice adorait ce chant. Ils chantent en me regardant, la main gauche contre leur oreille, en écho. L'émotion m'épuise. Ils partent, je n'ai presque goûté à rien, je n'ai pas parlé, je n'ai rien entendu, si ce n'est cette polyphonie corse. Un berger m'a embrassé la main en s'inclinant. Tard dans la nuit, Abdel me couche, je frissonne de fièvre. Je dors peu.

Pour la première fois depuis mon arrivée en Corse, il y a déjà dix jours, je décide d'accompagner les enfants à la plage. Ma cousine Barbara, son mari, Philippe, et leurs six enfants sont à la place habituelle des Pozzo, une crique qu'ils squattent depuis trente ans. Barbara fait de la tapisserie à l'ombre de l'auvent, comme Granny il y a vingt ans. Elle passe son après-midi à surveiller ses troupes. Je m'installe à côté d'elle. Je revois les plages de mon enfance.

Mon ami François est sorti paralysé d'une petite vague comme celles-là. Il se baignait avec ses jeunes enfants et son épouse ; les enfants s'éclaboussaient. Une vague à peine plus forte les a bousculés. Tous se sont redressés avec un grand éclat de rire ; tous sauf François, resté la face sous l'eau. Ils ont cru qu'il jouait. Quand ils se sont aperçus qu'il ne respirait plus, ils l'ont ramené sur le bord de la plage, les première et deuxième cervicales fracturées. Grâce à la foi et l'amour des

siens, il a tenu sept ans sans bouger de son lit. Les
médecins n'y croyaient pas. Puis, il est mort.

Je lève les yeux vers l'horizon. Les îles Sangui-
naires se découpent sur le ciel. L'histoire veut que
ces îles tiennent leur nom des pestiférés, les « sang-
noir », qu'elles avaient recueillis durant les quatre
cents ans de domination génoise, du XVᵉ au XVIIIᵉ
siècle. Une autre tradition dit que la lumière du
soleil couchant teinte ces îles d'un rouge sang. Je
pense à toi, Béatrice. Sur ces îlots, la dame froide
a emporté les pestiférés. Ils ont été mis au bûcher.
Leurs cendres se sont dispersées sur cette terre
brûlée, stérile.

Barbara lève la tête de son ouvrage. Elle assure
la succession, la continuité. Tout va bien. « Ne
t'inquiète pas, petit cousin, tu la retrouveras. » Je
regarde en contrebas Abdel jouer avec les enfants
sur la plage ; Laetitia se livre à la morsure du soleil.
Ses cheveux sont d'un noir luisant, sa peau blanche. Elle est femme à présent. La meute de Barbara
s'ébroue. Nous devons les retrouver ce soir sur la
grande plage de Capo di Feno.

Abdel me transfère dans la petite voiture.
Robert-Jean se cale derrière moi pour me maintenir dans les virages. Nous rejoignons la cahute de
Pierretou sur une plage immense, belle et dangereuse. La fine équipe me transporte à travers le
sable et m'installe en bout de table. Les enfants se
baignent nus dans une mer toute à eux. Je me
laisse aller à la torpeur du ressac. La nuit est tombée ; je me tasse dans le fauteuil. Quelques jeunes
femmes me saluent en souriant. Je m'assoupis

jusqu'à ce que les enfants s'installent autour de la longue table sous les cocotiers. Le cousin Philippe prend les choses en main. Pour nous, ce sera les spaghettis au poulpe – le poulpe a été pêché là, cet après-midi – et un petit vin de l'arrière-pays, sans étiquette. Les enfants s'empiffrent gaiement. Le jeune François est rejeté en bout de table. Il boude. Je lui fais signe de s'installer entre son père et moi ; il zozote avec son grand sourire : c'est le plus délicat des enfants de Barbara. Il y a Marie avec le langage vert de ses seize ans ; Titou, le petit dernier aux yeux ronds ; Joséphine, dont Robert-Jean est amoureux comme nous l'avons tous été de sa mère. Les enfants se lèvent pour prendre un cornet de glace et disparaissent dans la nuit. Que de fois sommes-nous venus ici avec Béatrice ! Nous y passions la nuit, seuls. Elle était heureuse. Tièdes, nous nous réveillions de temps en temps avec le ressac.

Vers minuit, de violents tremblements me reprennent. Je fais signe à Abdel de lever le camp. Je rentre en moi-même. Les douleurs s'installent. J'en ai connu de telles l'année précédente, avec Béatrice. Mais là, je suis seul. Une douleur stupide, mécanique : un « blocage vésical ». La sonde se bloque, l'urine est refoulée à travers les reins, dans le sang. Elle vous monte à la tête et vous fait exploser. C'est bête. C'est comme ça que Béatrice est partie en trois jours. Je résiste cinq minutes puis je me laisse aller, je hurle comme un animal.

Mon cerveau éclate. Je ne vois plus rien, je suffoque. Pendant trois heures, Abdel se bagarre avec la « tuyauterie ». De temps en temps la sonde se libère, la tension passe de trente à douze, le cerveau respire. Émerge en moi la pensée que tout est fini, jusqu'à ce qu'une nouvelle secousse m'annihile.

Abdel passe la nuit à purger avec des seringues les saloperies de ma vessie. Au matin, je transpire, le lit est trempé, les douleurs se ravivent. Je veux rejoindre Béatrice, je ne réagis plus. Abdel appelle une ambulance. Il n'y a pas de solution, il faut attendre, subir, ne pas se révolter, se reprendre lors d'un répit, se laisser aller quand revient la crise.

À l'hôpital, il n'y a qu'un seul médecin pour le week-end. C'est la pagaille. Les infirmières sont contentes d'avoir un Pozzo. Dans le temps, elles ont été reçues au château, etc. Le médecin parle d'opération, Abdel fait de la résistance passive. Ils me mettent en observation. Je ne cesse de transpirer à grosses gouttes. À huit heures, nouvelle alerte. Le médecin me renvoie en ambulance dans la montagne. Abdel me couche. La nuit est terrible. Le lendemain matin, nous hésitons plusieurs fois à repartir à l'hôpital. Finalement, Abdel appelle pour qu'ils nous donnent une sonde d'un diamètre plus important. Je transpire toujours, mais c'est supportable pendant une bonne demi-journée.

Sur ces entrefaites, ma sœur Alexandra arrive avec son fils. Je reste couché, incapable de l'accueillir. À deux heures du matin, l'attaque est foudroyante. Je n'ai pas le souvenir d'avoir jamais connu une telle souffrance, inutile, comme celle d'une femme qui accouche d'un enfant mort-né.

Pour notre premier enfant, Béatrice serrait les mâchoires de douleur et de rage. Moi, je hurle. Alexandra s'installe dans une pièce en haut de la tour. Laetitia est avec elle et sanglote. Abdel interdit l'accès de la chambre. Il s'affaire pour débloquer la situation. Une heure après, je suis libéré. Tout mon corps tremble, je n'arrive plus à fermer la bouche. Abdel s'inquiète, je ne peux pas parler, j'essaye d'éviter de me mordre dans cet immense tremblement. Je respire par saccades. Il faut plusieurs heures pour que le corps s'assagisse. Le lendemain matin, Abdel me laisse dormir. À une heure, nos cousins bastiais arrivent comme prévu. Je demande à Abdel de m'asseoir.

La Corse est à la dérive, dit Antoine. Cela le rend triste. Je suis la conversation de loin. Alexandra l'écoute. Cela me permet de me reposer dans ce maudit fauteuil roulant, sous mon chapeau et mes lunettes noires, drapé d'une djellaba. La tête tourne, de grosses gouttes perlent sous le chapeau. Hélène, la femme d'Antoine, le remarque. Je tiens néanmoins à rester jusqu'au bout pour faire honneur à mes amis du Nord. Hélène est une femme délicate, au joli visage posé sur un cou maigre et allongé ; quelques années auparavant, elle a subi une autogreffe de moelle qui a guéri son cancer. Elle a suivi les derniers mois de Béatrice avec courage et compassion. Elle regarde le monde de ses yeux profonds. Elle est belle et silencieuse. Son mari analyse la situation en dégustant le sanglier corse préparé par Françoise.

J'attends le tailleur de pierre. Je souhaite qu'un marbre rose de Corse se substitue à la dalle provisoire de la tombe de Béatrice. Le tailleur de pierre arrive, avec sa petite tête sèche, sa grande barbe rousse et son humeur pétillante. Vingt-huit ans qu'il travaille dans les pierres tombales. Sa sérénité et son humour rafraîchissent. Je lui parle de mes souvenirs d'enfant, de ces confrères d'antan, à la sortie du cimetière marin d'Ajaccio. À l'époque, ils étaient une cinquantaine à rivaliser entre eux. Il est aujourd'hui le dernier en Corse. Il en est fier, mais ne transmettra pas son savoir-faire à son fils : « Il n'y a plus d'avenir dans la taille de la pierre. »

*

La dalle provisoire sera en fait remplacée par une composition en mosaïque réalisée à ma demande par ma sœur Alexandra. Elle représente des chrysanthèmes jaunes et des iris violets, assortiment préféré de Béatrice.

Sabrya

Béatrice gît sur la duchesse brisée. Dans quelques instants, les croque-morts l'emmèneront.

La dépression s'est installée. Les mois s'écoulent. J'ai déposé les armes.

Frénétiquement, j'ai voulu libérer Béatrice.
Quand elle dansait, elle me faisait tourner la tête ; par la suite, je l'ai maintenue debout malgré ses jambes couvertes de plaies. Nos rythmes ont-ils jamais correspondu ?
Dans cette course effrénée, je n'ai pas su me mettre au diapason de son énergie vacillante.

*

Ce matin comme tous les matins, pendant deux heures, une jeune aide-soignante est venue s'occuper de moi. Celle-là, je ne la connais pas. Elle dit s'appeler Sabrya – « patience » en arabe. Elle a l'âge de Béatrice les premiers jours où je l'ai connue. Je l'ai confondue avec elle. Pourtant elle est brune, les yeux en amande, le regard noir, velouté et tendre. Sa peau est mate, couleur abricot, au toucher de pêche.

Je l'attends chaque matin. Quand je l'entends arriver, je ferme les paupières. Je la laisse ouvrir mes yeux rougis par le deuil et l'insomnie. Elle l'a fait durant plusieurs mois.

Elle me rase ; son visage s'approche du mien. Je ferme les yeux, me concentre sur ses mains délicates qui me détendent des crispations de la nuit. Son parfum m'enivre ; j'aimerais qu'elle reste à mes côtés jusqu'à ce que je m'endorme.

« Dis-moi un jour que tu m'admires un peu. Viens plus près, je veux te dire quelque chose.

— Non, je sais ce que tu vas dire.

— Si, Sabrya, viens, Sabrya. Dis-moi un jour que tu m'aimes un peu. Avec ton petit sourire. Tu veux partir ? Non, Sabrya, donne-moi encore une cigarette, encore trois minutes, s'il te plaît, Sabrya.

— Non, je vais partir, j'ai d'autres patients.

— Sabrya, encore un baiser s'il te plaît. Je veux t'en donner un autre derrière l'oreille.

— Non, pas derrière l'oreille, ça me chatouille trop, juste sur la joue. »

Elle se penche sur moi. Une volupté délicieuse, parfumée. Elle me dit avoir vingt parfums. Je ne remarque aucune différence, c'est toujours la même odeur.

« Tu me le diras, si tu m'aimes un peu.

— Promis, je te fais signe. »

Elle part avec un grand sourire :

« Je t'appelle.

— Oh ! Sabrya, éteins toutes les lumières, s'il te plaît. »

Je l'ai apprivoisée. Souvent, dans ses temps libres, elle me tient compagnie. Elle est assise en tailleur sur le lit, menue et délicate. Je lui parle de Béatrice, de la vie qu'elle a devant elle. Je cache le trouble qu'elle suscite en moi. Lorsqu'elle parle, je ne vois que ses lèvres ourlées, ses dents éclatantes et sa langue malicieuse. Je l'imagine m'embrasser ; je rêve.

Un soir, je l'ai invitée à dîner dans un restaurant branché de Paris. Sa mère l'accompagne. Toutes deux sont somptueusement vêtues ; Sabrya porte un tailleur jaune, ses cheveux d'un noir luisant sont tirés en arrière. Je vois pour la première fois la courbe de ses genoux. Saadia, sa mère, s'est enveloppée de riches étoffes pailletées d'or à dominantes rouge et orange. Avec curiosité, elles regardent ce monde médiatique qui leur est étranger. Saadia ne dit rien. J'échange avec Sabrya nos tendresses habituelles. Elle porte à ses lèvres son verre de Coca. Calé en arrière dans mon fauteuil, je lui demande d'un ton inchangé : « Sabrya, voulez-vous m'épouser ? » Elle se penche sur son couvert, les joues empourprées. J'aperçois des larmes. Saadia l'interroge ; pas de réponse. Je n'aurai jamais de réponse.

Saadia m'a invité à dîner dans leur petit appartement, au cœur d'une cité du XVe arrondissement. Abdel se fait aider de tous les adolescents qui traînent dans la cour pour me porter jusqu'à l'étroit ascenseur ; à la force de ses bras, il me maintient debout dans la cage. Il faut encore gravir un demi-palier, collé contre lui, tel un pantin désarticulé. Il me hisse au dernier étage, me lâche dans une petite pièce encombrée de poufs où la télévision reste allumée. Sabrya prépare le tajine ; Saadia s'installe près de moi. Elle ne cesse de me parler de choses qui m'échappent ; j'essaie de me redresser, lorsqu'elle m'arrête d'un : « Vous savez, monsieur Pozzo, je l'ai vue rentrer tout heureuse il y a plusieurs mois. Elle m'a dit qu'elle était amoureuse. »

Je garde le silence. Un jour, elle l'a dit à sa mère, elle était gaie. Que quelqu'un puisse l'aimer l'a surprise. Peut-être reste-t-il quelque chose de ce petit aveu d'un jour ? Saadia relate les traditions de son pays qui veulent que la mère suive la fille dans son nouveau foyer. Sabrya l'interrompt avec son espièglerie habituelle : « Maman, ça suffit ! » Son cou doré se penche devant moi. La soirée est enjouée. Après le dîner, je propose une balade à Sabrya. Dans l'anonymat de la nuit parisienne, je l'emmène dans mon fauteuil électrique le long des rues presque désertes. Elle s'assied en travers, sur mes genoux ; la douceur de son bras gauche contre mon cou, la caresse de ses cheveux sur mon visage. Du menton, je conduis mon destrier à toute allure, tous feux allumés, au milieu de la chaussée. Elle rit et chante pour moi. Pas un mot sur mon rêve. Je lui chuchote des tendresses : « J'aime tant tes boucles naturelles après la piscine, celles que tu détestes parce que tu te sens trop ethnique. Te rends-tu compte que tu passes une heure par jour à te tirer les cheveux en arrière ? Bien sûr, ça te dégage le visage, mais laisse donc ces boucles tomber. Oui, je vois bien que tu as une petite poitrine ridicule, et une culotte de cheval ; cela te va si bien. Ton pantalon te moule. Je vois tes genoux arrondis, ton bras autour de ma tête et je sens la douceur... » Elle m'interrompt d'un grand éclat de rire lorsqu'une voiture nous double.

Tour de table

La chaleur estivale a gagné Paris. Les brûlures deviennent intolérables. J'ai 40 °C de température. Même le visage, jusque-là épargné, s'embrase. Les cloques s'incrustent : mon cuir chevelu est une croûte, seules mes chevilles semblent flotter. J'ai perdu pied. Laetitia vient s'asseoir sur mon lit pour me parler de l'organisation de ses vacances. Je m'effondre et lui demande de prendre en charge son petit frère. Il faut qu'on m'hospitalise, je n'en peux plus.

Elle réagit comme Béatrice l'aurait fait. Elle alerte mes amis. Ils me transportent au centre Saint-Jean-de-Malte. J'ai suivi toute la construction de ce centre pour handicapés lourds au cœur de Paris. J'ai été le handicapé de service auprès des huiles de la ville, du conseil régional et des donateurs. Marie-Odile, la directrice, a mis la dernière main à la réalisation de l'établissement. J'y suis retourné il y a trois mois pour le faire visiter à Sabrya. Nous avons déjeuné avec Marie-Odile,

entourés de handicapés de toutes natures. Sabrya
a gardé le silence, effrayée de tant de misères.

Marie-Odile m'a installé dans un studio avec
kitchenette, salon et salle de bains. Situé au rez-
de-chaussée, il donne sur un patio arboré. Tous
les résidents ont leur studio, ils peuvent même y
vivre avec leur famille. Je mets trois jours à réaliser
où je me trouve.

Mes aides-soignantes, Emmanuella et Fabienne,
me bichonnent inlassablement. J'apprécie leur
sourire. Fabienne est une Antillaise aux yeux verts.
Son grand-père était breton. Je l'appelle la Bretonne. Elle vit seule avec sa fille de six ans. Emmanuella est une jolie et jeune Guadeloupéenne. Son
rouge à lèvres écarlate m'a « rebranché ». Il y a
aussi Brigitte. Les résidents se divisent entre ceux
qui trouvent que Brigitte est la plus belle et ceux
qui optent pour Foulé, une magnifique Sénéga-
laise. Je penche pour Foulé bien que toutes soient
délicieuses ; même la petite Nicole, qui aurait pu
être grincheuse, me sourit, me console.

La douleur persiste. Les filles ont pu m'asseoir.
J'assiste au repas dans la salle commune. Je ne
mange pas, mais je suis avec les pensionnaires.
Jean-Paul, tétraplégique, a le même âge et le même
visage boursouflé d'allergies que moi. Armand, je
ne sais pas ce qu'il fait là : il peut marcher. Je l'ai
vu un jour nager comme un champion, à la piscine.
Il a sûrement un problème ; il mange jusqu'à cinq
tranches de viande par repas, ses mains tremblent.

Je me suis lié d'amitié avec Jean-Marc, un jeune Martiniquais de vingt-huit ans, marié et père de deux enfants. Il vient d'avoir un accident, mais son regard exhale l'optimisme. Il nous fait rire, nous réconforte. Il est le seul à recevoir sa femme et ses enfants dans son studio.

Une petite dame sans âge marche à l'aide d'une canne ; je crois qu'elle ne veut plus sortir de l'établissement. Corinne, une rouquine de quarante ans dont seuls les yeux expriment encore quelque chose, a été alcoolique. Eva la Polonaise, le visage toujours baissé, souffre des mêmes douleurs que moi. Elle n'y croit plus.

Le jeune Éric rédige son projet de vie pour la directrice : il veut témoigner dans les écoles. Il me parle longuement de son angoisse, avec la laborieuse élocution des IMC[1]. Souvent, il veut cesser de vivre, mais n'ose pas parce que son père et ses trois frères disent qu'il n'en a pas le droit.

Michel, un géant ramolli, penche toujours du même côté que son œil droit qui tombe et qui pleure. Il parle dans un souffle lent ; les aides-soignantes le bousculent parce qu'il pourrait s'en tirer mais n'en a pas le courage. Éric et lui se détestent. Je crois qu'ils aiment la même femme. Malgré ses bras recroquevillés, Éric menace de lui mettre un pain ; l'autre, silencieux, allonge son immense bras avec une infinie lenteur.

---

1. Infirme moteur cérébral.

M. Baillet est accroché à une planche juchée sur
son fauteuil électrique. De son index droit, il en
change l'inclinaison à chaque minute. Il passe de
l'horizontale à la verticale en permanence. Il explique avec malice qu'il est un être en voie de fossi-
lisation, envahi par le calcium ; alors, pour retarder
le moment où il sera totalement saisi, il se secoue
comme une bouteille d'Orangina. Il ne se plaint
jamais. Les infirmières m'ont dit qu'il souffrait le
martyre.

Un autre pensionnaire, une masse qui dépasse
les cent cinquante kilos, fait preuve d'une violence
inouïe. Il frappe la table de ses deux bras raidis,
en projetant son corps d'avant en arrière. Les filles
ont peur de lui. Il ne dit pas un mot, mais son
énorme tête rouge et ses yeux globuleux réclament
toujours plus de nourriture. Il est entouré de ceux
que j'appelle « les frères », deux mourants à la tête
maintenue dans une collerette en plastique ; ils
n'ont presque plus de corps, il ne leur reste que
des os atrophiés. Leur cou a l'épaisseur d'un doigt.
Tous deux ont une trachéo qui dessine sur leur
cou un nœud papillon grotesque. Leur regard est
doux. La semaine dernière, ils étaient trois.

M. Carron, tétraplégique comme moi, s'est
plaint de douleurs ; il a eu peur et a demandé son
transfert à l'hôpital de Garches. Il y est parti, il en
est revenu. Il est mort au petit matin. On l'a vu
passer sur une civière, une couverture rabattue sur
le visage. Le mangeur de viande a dit qu'il était

mort, sinon la couverture n'aurait pas été mise ainsi. Quelqu'un a répondu que c'était mieux pour lui parce qu'il ne souffrait plus.

Et puis, il y a tous mes autres frères. Je me sens mieux quand je suis avec eux.

Ils vivent tous ensemble depuis longtemps. Ça les a surpris de me voir en touriste de passage, prêt à repartir. J'ai promis de revenir.

*

J'attends Sabrya dans le hall. Je me suis reposé toute la matinée. Dans l'entrée, trois autres fauteuils entourent la standardiste, une Portugaise blonde. Sabrya arrive, vêtue d'une robe à fleurs pastel, transparente jusqu'au-dessus de ses genoux ronds. Elle porte des chaussures beiges un peu hautes. Une bretelle de soutien-gorge blanche enlace son épaule bronzée.

Ses cheveux sont tirés en arrière. Elle me remarque immédiatement, garde son sourire pour les autres, dit bonjour à tous de sa voix enfantine et enjouée. Nous partons en direction du parc des Buttes-Chaumont. Je guide mon fauteuil électrique à l'aide d'une balle de tennis disposée sous le menton et reliée directement au moteur et aux roues arrière. Sabrya marche à ma droite. Je prends soin de régler l'inclinaison de la balle pour qu'elle puisse rester à mon côté. D'une gaieté contagieuse, les cheveux luisant au soleil, elle rit de toutes les coquineries que je lui dis. Quand je vais trop loin, elle me fait un petit clin d'œil, comme si elle donnait une tape amicale sur une main qui n'est plus baladeuse. Nous pénétrons dans le parc par l'entrée du bas. Je jette la tête en arrière, la regarde dans les yeux et lui dis une bêtise d'amoureux. De temps en temps, elle trépigne : « Arrête, arrête », tout en riant, ou « Philippe, ça suffit ! »

À l'arrêt, je n'ai plus mal. Je lui réclame les baisers des jours précédents. Elle m'en dépose avec parcimonie sur le coin des yeux. Nous arrivons enfin en haut du parc, à une terrasse de restaurant. Elle place la chaise le long de mon fauteuil et me fait face. Nos visages sont proches. Nous ne levons pas le nez. Un enfant bouclé s'approche sans nous regarder.

« Sabrya, j'ai des choses à te dire, nous irons nous installer sous un arbre, seuls, tout à l'heure, et tu m'aideras. »

Ses yeux s'assombrissent.

« Dis-moi, Philippe.

— Non, tout à l'heure, je suis trop inquiet. »

Un garçon prend notre commande ; il dépose les assiettes sur la table de derrière, nous n'y touchons pas. Nous poursuivons nos tendresses, nos rires. Sabrya pose son bras sur le mien. Puis, elle veut savoir.

Nous partons sous un arbre à l'écart. Des enfants jouent sur la pelouse en contrebas, des cygnes paressent sur l'étang auquel nous relie un parterre de fleurs. J'ai dégagé la balle de mon menton. Sabrya s'installe sur mes genoux, le bras autour de mon cou. Avec délicatesse, elle dit qu'elle veut me parler d'elle. Elle devine le sujet qui me perturbe.

Elle me parle de son enfance dans le bled, d'un père qu'elle hait pour sa méchanceté, des brutalités qu'il inflige à sa mère. Elle s'est souvent enfuie avec son petit frère, pour le protéger, mais elle savait qu'à son retour elle retrouverait sa mère en pleurs et marquée de coups.

Elle a cinq ans. Sa mère attend des jumeaux ; elle est enceinte de sept mois. Un soir, la crise paternelle est encore plus violente que d'habitude. Saadia prend peur pour les siens et les emmène dans la nuit, avec une valise. Elle veut fuir, rejoindre sa sœur, en France. Au petit matin, sur le quai de la gare, ils attendent le train de Casablanca. Le père les retrouve dans la lumière terne, se précipite sur sa femme, la plaque au sol et la roue de coups. Sabrya s'éloigne avec son frère. Il crie. Saadia hurle qu'on sauve ses bébés. Elle les perdra tous les deux.

Aujourd'hui encore, Sabrya pleure à cette évocation. Elle ne reverra plus jamais son père ; elle a peur des hommes.

Elle me dit que je suis le premier à lui parler avec gentillesse et respect ; qu'elle ne veut pas me faire de peine et, surtout, qu'elle ne veut pas me perdre. Plus elle parle, et moins j'ose aborder le sujet furtivement évoqué un soir, au restaurant. Elle cherche un père, et je rêve d'une compagne.

Je tente un timide : « Sabrya, si nous restions ensemble ! » Elle retire son bras de mon cou, se penche un peu en avant, le regard fixe, ses mains posées sur ses genoux. Quand je suis avec elle, quand mon cœur s'emballe, j'oublie que j'ai le double de son âge et qu'elle ne m'a jamais considéré comme un amant.

J'ai alors pensé que j'allais mourir. « Je vivrai jusqu'à soixante-quinze ans ; ce qui est peu dans notre famille de nonagénaires. Tu verras nos petits-enfants naître de mon vivant. » Je lui dis avec tristesse que, si cela ne dépend que de mon cœur, je l'attendrai. Mais je ne peux pas garantir mon corps. Les douleurs m'enveloppent comme une chape. J'appuie la tête contre le dossier, je suis fatigué. Elle se lève pour essuyer mes yeux, met ses mains sur mes tempes.

Il est tard maintenant. Les enfants qui jouaient sont rentrés chez eux, les cygnes sont cachés et les fleurs sont grises. Nous redescendons au centre Saint-Jean-de-Malte. Sabrya me tient la main droite, jusqu'à ma chambre. Elle aide les autres à me coucher. Elle reste ensuite quelques minutes assise sur le rebord du lit, sa main sur ma joue. Je la remercie pour tout ce qu'elle me donne. Elle me téléphonera, nous déjeunerons ensemble lundi. Elle m'embrasse sur le front, me ferme les yeux. Je l'entends à peine partir. Toute la nuit, je garde les yeux fermés sans pouvoir dormir. Une nuit de calvaire.

Dans le noir, je garde espoir. J'attends les rayons du soleil et demande à ce qu'on me rapproche de la fenêtre pour qu'ils réchauffent mon corps fatigué. J'ai rêvé. Sabrya est allongée, nue près de moi. Nos deux corps sont orientés dans la même direction. Elle se replie en position fœtale. J'imagine la douceur de ses jambes, j'imagine poser la tête dans ses cheveux relevés qui dégagent sa nuque délicate. Je me suis endormi dans ses parfums, dans ce songe.

Elle vivrait avec moi les années qui nous restent, nous aurions plein d'enfants. Cela durerait jusqu'à la fin des temps. Elle parlerait à mes enfants, rirait avec Laetitia. Robert-Jean serait un peu amoureux d'elle.

Je l'ai rêvée heureuse avec ce curieux personnage d'un autre monde.

Je ferme les yeux au soleil. Dans l'orangé de mes paupières, je la vois m'accompagner. Pas ma compagne, mais ma compagnie que j'aurais le droit d'embrasser derrière les oreilles en lui chuchotant mes rêves tièdes.

Évidemment, il faudrait qu'elle m'aime. Mais ça, on n'y peut rien ; ça vient ou ça ne vient pas. Peut-être que cela ne viendra jamais.

Horizon

Depuis trois jours, je suis couché, je brûle. Trois jours d'orage sur Paris, et pas une goutte d'eau qui me soulage. Abdel me rafraîchit le front et les yeux avec un gant de toilette ; j'attends. De temps à autre, il met un gant en éponge imbibé d'eau fraîche replié contre mon cou, à l'endroit où bat l'artère. Je patiente dans cette cadence.

La nuit de samedi, j'ai veillé ; les phares des voitures sur le plafond rythmaient le temps.

Une grosse mouche est venue me distraire ; il y a eu comme un changement d'ambiance : avant et après la mouche. J'aurais aimé que d'autres mouches me distraient, mais il n'y eut qu'avant et après celle-là. De nos jours, il n'y a plus de mouches qui se cognent contre les vitres, se posent dans un recoin quelques secondes et reprennent leur bruit. Celle-là n'a fait qu'un vol ; j'ai désespérément attendu son retour.

Le noir s'installe ; les contours s'estompent, le corps flotte dans le ronronnement du lit qui ondule. La brûlure a envahi ce lit sans limites. Je me souviens de la douceur de son corps et des draps. J'ai fermé mes yeux rougis, la gorge serrée, les contractures dérangent le rythme du lit et le chat. Il n'y a plus de larmes pour m'abrutir. Je devine la barre métallique dans mon cou qui relie ce corps naufragé, insupportable, à cette tête qui ne veut plus s'endormir. Ne pas revenir sur le passé ; trouver une image fraîche qui s'imprime derrière mes paupières. Toujours Béatrice. Je tourne la tête du côté où elle aurait dû être. Les oreilles bourdonnent dans le silence ; un battement de cœur est perçu. Pas de sommeil, pas de pause. Je revis les dernières secondes de ma chute, j'aurais dû... Se concentrer sur les enfants. Le reste est une espérance douloureuse ; tenir. Ne pas s'endormir définitivement. Attendre l'infirmière du matin.

Dimanche, Abdel m'a réveillé à une heure de l'après-midi. Il pensait que je ne respirais plus.

Un ami que je n'avais pas vu depuis vingt ans s'est invité à déjeuner. Vingt ans, ou hier, c'est pareil.

Il faut attendre.

Les Viêt-công ont enterré vivant mon oncle François, missionnaire au Viêtnam. Ils ont juste laissé dépasser son cou et l'ont torturé jusqu'à ce qu'il meurt. Comme moi, il était paralysé, mais lui était maintenu au frais par la masse de terre. C'est sa tête qui brûlait. Il s'est échappé par la prière. Moi, j'attends que le ciel me tombe dessus.

L'ami est venu, comme ceux qui sont passés ces trois derniers jours, comme les coups de fil auxquels je n'ai pas répondu.

Il est reparti, après m'avoir retracé ses vingt dernières années sans que je ne dise mot. Il ne savait pas trop quoi dire ; parfois quelques jours de sa vie prenaient d'interminables minutes et il escamotait une année en quelques secondes.

Je reste avec gravité au fond de mon lit.

Marc, le fidèle kiné, est passé aujourd'hui ; je n'ai même pas suivi les mouvements qu'il donnait à ce corps inerte. Il a voulu me faire rire.
Alain de Polignac, le prince ami, m'a raconté la Champagne. Je ne me souviens plus.

Abdel m'a allumé une cigarette. La brûlure dans mes poumons est délicieuse.

La fraîcheur de l'eau du torrent de Vizzavona, au-dessus d'Ajaccio, m'envahit comme lorsque nous nous baignions, petits, ou plus tard, nus, avec Béatrice. La brûlure et la morsure du froid se confondent.

J'attends l'obscurité.

Au fil des jours et des semaines, j'ai perdu le fil de la mémoire, le passé s'est aplati. Il est inerte, comme moi.

Le sémillant, le vibrionnant, l'ambitieux, le gourmand n'a plus d'envie. C'est ma faute. Je l'ai tuée. J'ai bousillé mes enfants. L'avenir ne peut être que pire. Plus aucune femme ne me prendra dans ses bras. Je suis laid, elle est partie. Débranchez-moi ! Ne me demandez rien, je n'ai plus la force.

Le corps ne réagit plus. 34 °C de température, six de tension. Je lève la tête, je tourne de l'œil. De temps en temps, les infirmières essayent de me doucher. Je sombre alors dans le noir. Je n'ai plus envie de sortir.

Je suis couché. L'allergie démange à nouveau mon visage. J'écoute sur ma chaîne les *Variations Goldberg*, trop fortes.

Je termine peut-être ce récit parce qu'une femme est à mes côtés et que j'ai retrouvé mon second souffle. Sa présence me ramène dans le monde des humains.

Je dois être hospitalisé. Au réveil, j'ai déjà froid.

Chants de l'heur

Le chat est mort du sida.

Fadaise : il s'appelait Fa Dièse (plus près du sol), il a eu un bémol. Depuis quelques jours, il ne mangeait plus, comme moi. Il n'avait plus la force de se hisser sur mon lit. Je le regardais à travers la vitre de la porte de ma chambre, blotti dans le couloir. Il miaulait curieusement, sans même relever la tête. Une seule fois, il a accepté un thon tendre. Laetitia m'a dit de le montrer au « vét' », je suis resté bête. Abdel s'est proposé de le déposer. Le vétérinaire m'a appelé : « C'est probablement un virus, mais il a des ganglions qu'il faut vérifier. » Abdel l'a ramené, il a passé sa dernière nuit avec moi. Le lendemain, il était condamné.

Pas un mot sur Fa Dièse, le chat qui avait accompagné mon insomnie habituelle.

Solitude je vous *haime*. Je vais partir délicieusement dans le noir, léger. Je partage la fraîcheur de sa tombe. Touchez mon front, restez ce soir à mes côtés, je veux vous entendre respirer. Hier, un bébé a fait sa sieste contre moi. Je lui ai parlé. Le corps est seul, la tête aussi. Éteignez ma cigarette. J'ai soif. Plus tard, ce sera pire. Il faut séduire, sourire ; un mur de larmes. Silence blanc, incandescent.

La solitude me hante. C'est elle qui obscurcit le plus mon avenir. Enfermé dans la paralysie, les souffrances physiques et morales, maintenu à distance par le regard des autres, comment survivrai-je lorsque mes enfants seront partis, même si, dans mes rêves, je fais partie de leur décor familial ? Déjà aujourd'hui, j'aspire souvent à être isolé dans un établissement spécialisé, à recevoir un traitement contre les douleurs, au détriment de ce qu'il me reste de lucidité.

Qu'en sera-t-il, dans quelques années, quand une nouvelle solitude se sera ajoutée à celle d'aujourd'hui, quand ma condition physique n'aura pu que se détériorer ? On doit m'accorder un avenir. Sabrya ne peut rester un rêve.

*

Imaginez qu'Il ait raison. Le soir du Grand Festin, il y a résurrection d'entre les morts. Pas une quelconque réincarnation. Une vraie résurrection du corps ; le Christ ressuscité avec son corps d'humain, ses plaies qu'il fait toucher du doigt à Thomas. Attention, pas de blagues, Tu ne me ressuscites pas avec mon corps de paralysé. Non, transfiguré, comme toi. Même Marie Madeleine a mis du temps à te reconnaître.

Il était beau et lumineux. Je suis beau comme sur la photo dans la chambre de Laetitia, la chemise bleu ciel ouverte, sans col, sur un fond de mimosas au bord du lac Geneva dans l'Indiana. Nous y avions une petite maison en bois.

Pendant trois jours, ils m'ont laissé sur la même méridienne que Béatrice, avec mon costume gris anthracite, une chemise blanche à col anglais, la cravate quadrillée gris et blanc de grand-papa, la pochette noire signée de blanc par Christ Lacroix, les cheveux courts comme d'habitude. Qu'ils me recouvrent d'un plaid jurant avec le costume m'a énervé ; en plus, ça fait paralysé et puis je n'ai pas froid. Quand le Christ apparaît aux apôtres, ils sont surpris car il n'est passé ni par la porte ni par la fenêtre. C'est l'avantage de notre corps d'humain transfiguré. Confortablement allongé sans paralysie ni souffrance, je peux bouger mais ils ne le voient pas. Je m'effondre même de rire sans qu'ils ne s'en rendent compte lorsque Raymond accroche sa canne dans le tapis du salon et se rattrape à la duchesse brisée. Cela a fait désordre de voir le comte tomber de sa duchesse. Il y a eu un hurlement d'effroi. Seule Béatrice et les enfants ont entendu mon rire.

À un moment, mais je n'avais pas l'heure, Laetitia et Robert-Jean ont voulu rester seuls avec moi ; ils m'ont alors vu sourire, mais c'est resté entre nous. Ils savent maintenant que je suis avec Béatrice, sans souffrance ; que nous veillons sur eux avec un amour sans limites. Mes enfants, comme nous vous avons aimés, comme nous vous aimons.

Je les vois tous défiler, certains avec un pincement au cœur. Sabrya, mirage ; Papa, fidélité ; Maman, tendresse ; Granny, respect. Tante Éliane porte son beau tailleur bleu ciel qui va si bien à ses yeux aujourd'hui rougis par le chagrin.

Pendant la messe, Nicolas et Sophie chantent les mêmes partitions que pour Béatrice. Il y a aussi les pensées bleu tendre de l'ami sur mon cercueil et un immense parterre de fleurs blanches.

Ma délicate belle-mère s'appuie sur les bras d'Anne-Marie et de Jean-François pour monter au cimetière de Dangu. Je me réjouis de voir tous ces enfants autour de moi. Les croque-morts referment derrière moi la plaque en mosaïque de chrysanthèmes jaunes et d'iris violets. Elle tient sur quatre pointes pour que Béatrice et moi ne soyons pas enfermés. Ce n'est pas nécessaire, mais c'est gentil.

« Salut la folle !

Tu es là, la Pozzo ? Pozzolette, c'est moi ! Béa ma cocotte, Béatrice ma chérie, c'est moi ! » Pas de réponse. Les bruits des vivants s'estompent.

« Réponds-moi, je ne peux pas rester tout seul dans ce noir. »

Les ténèbres s'illuminent, Béatrice est plus belle que jamais. Je pleure de te retrouver. Tu m'as trop manqué ; tu n'aurais pas dû me laisser ces pages noires. Sabrya, me dis-tu ? Oui, elle était belle, douce et tendre ; elle a été notre amour phœnix

pour cette parenthèse terrestre à jamais refermée.
Maintenant que je suis cendres, tu vas avoir à partager mes ardeurs de ressuscité. Tu veux commencer tout de suite ? Non, j'ai tellement de choses à
te raconter. Tu les connais déjà ? Ah oui, c'est vrai.
Allons nous promener sous les étoiles, nous mar-
cherons fondus l'un dans l'autre. Arrêtons-nous,
je voudrais rattraper les baisers qui me manquent.
Tu sais, les enfants vont bien.

   ... Éternité... Étreinte...

LIVRE II

LE DIABLE GARDIEN

Pater Noster

Notre père qui êtes aux cieux
Restez-y
Et nous nous resterons sur la Terre
Qui est quelquefois si jolie...

Pater Noster – Jacques Prévert

Une mauvaise infection pulmonaire empêchait l'oxygène d'irriguer mon cerveau. J'ai zappé. Et comme toujours au réveil de telles absences, la tête se remet en route en délirant ; j'ai fait un détour par le paradis.

Je suis revenu à moi sur un lit d'hôpital – Garches, je crois. « Ah ! Quand même, on revient sur Terre ! » s'exclame Abdel. « Cela fait cinq jours qu'on délire ; même pas marrant ! Vous étiez parti ailleurs. Entre vous et les deux voisines, ça déraille grave ! »

Elles ne tardent pas à se manifester en se crê-pant le chignon. L'une est clouée au lit, c'est la plus méchante, l'autre joue la petite fille et vient sans arrêt demander mon secours. Elle n'a pas tous ses esprits et ne comprend pas que je ne me déplace pas. À elles deux, elles frisent les deux siècles d'existence. « Vous croyez qu'elle va me faire marcher longtemps comme ça ? » je maugrée.

Elle me dit qu'elle a des problèmes pour marcher : « Ça me fatigue !

— Chacun son problème ! »

Aujourd'hui, j'ai pu m'asseoir dans mon fauteuil et voir l'autre femme. J'ai du mal à la distinguer sur ce lit, entouré de barreaux qui l'empêchent d'attraper sa voisine avec des envies de meurtre. Elle n'a pas de visage, juste un crâne dont une partie est défoncée, les cheveux encore abondants. Couchée sur le flanc, l'œil rivé sur la porte d'entrée, elle s'exprime dans un langage qu'aucun ne reconnaît. Ma voisine dit que c'est celui du diable. La voix rauque et tendue, une voix inhumaine, ça c'est certain ; elle est nue sur son lit, passe sa folie dans la chambre.

J'essaie d'expliquer à ma voisine qu'il ne faut pas la diaboliser ; derrière toute cette agression, incompréhensible, il doit y avoir un être qui souffre. Mais c'est peine perdue. Tout le service lui tombe dessus. Elle est animale : ses besoins naturels, y compris les plus organiques, elle les fait en hurlant dans une telle fureur qu'il faut une heure pour remettre en état sa chambre. Oui, elle est folle, en tout cas très seule. Et l'autre, au moins quatre-vingt-dix ans, répète : « J'en ai marre, j'ai du mal à marcher, je suis trop fatiguée, qu'est-ce que je fais maintenant monsieur, viens voir monsieur, viens voir, viens deux minutes, deux minutes, viens, viens... »

Elle n'a toujours pas compris que j'étais paralysé ; j'appelle Abdel, qui la renvoie. Parfois, elle glisse sa main sur son visage, semble pleurer et rentre dans la chambre : « Qu'est-ce que je vais devenir ? »

Alors elle redevient une petite fille toute seule sans défense ; comment peut-on laisser ces vieillards ainsi ?

Abdel, sortez-moi de là !

*

Ils ne m'auront pas cette fois encore ! Cela fait près de vingt ans que je résiste. J'aurai droit au Panthéon des tétras. Je n'ai aucun mérite :

— Je suis assez fortuné pour ne pas être placé en institution spécialisée. Comment voulez-vous survivre entouré nuit et jour du désespoir des autres grands invalides, les entendre sangloter, crier, passer sans réagir devant une chambre qu'on aseptise ?

— Les douleurs me maintiennent en colère ; je ne peux m'assoupir dans cet inconfort.

— Toujours, une femme admirable est présente. Béatrice, que j'abandonne sur la barque définitive qui remonte le fleuve, des compagnes, une Clara, et Khadija sur la côte de l'Orient proche.

— Les enfants : mes aînés Laetitia et Robert-Jean, Sabah – « l'aurore » – et notre petite dernière Wijdane – « l'âme profonde ».

— Abdel, passeur entre la rive du fleuve et la côte de l'océan.

Et j'aime le goût du café le matin au petit déjeuner.

Pour mes soixante ans, Khadija a organisé un anniversaire surprise dans notre résidence d'Essaouira. Elle a tout arrangé pour que, de Marrakech, j'arrive après la centaine d'invités. Mes enfants, ma mère, la tante Éliane, ma belle-mère Lalla Fatima et les siens, Anne-Marie, la famille corse, les amis de France et du Maroc, Yves et Max – les compères du parapente – Abdel, Éric et Olivier, les réalisateurs du film *Intouchables*.

Épuisé par le voyage et l'émotion, j'improvise quelques mots pour remercier les présents et nos amis pianistes qui nous combleront d'une merveilleuse soirée musicale.

« Tendre épouse,
D'abord une pensée pour ceux qui nous ont quittés : ma chère belle-mère qui avait suivi avec

tant de courage sa fille Béatrice, Granny, mon père le Duc parti après avoir fait la connaissance de sa dernière petite-fille Wijdane.

Soixante ans ! J'avais oublié. On n'additionne pas les viandes et les "légumes" – c'est une blague d'Abdel – quarante-deux ans de valide et dix-huit ans de handicap, dont chaque année en vaut sept, comme pour les chiens. Faites vos comptes !

Je remercie Abdel qui m'a secondé dès la sortie de l'hôpital, il y a vingt ans. Très présent au moment de la mort de Béatrice, il m'a accompagné pendant ces années difficiles avec mes enfants, sauvé la vie plusieurs fois, jusqu'à me déposer au Maroc, où j'ai pu ouvrir les yeux sur Khadija.

J'ai retrouvé le goût du bonheur. »

Abdel, c'est le diable gardien qui, après ses erre-ments, est devenu cet improbable aide de vie. Ce *desperado*, hostile à tous, rebelle à tout, est main-tenant marié, père de trois enfants. Il a fondé une entreprise où il prend un malin plaisir à mettre en cage des poulets qui trop longtemps l'ont fait courir.

Le mauvais garçon

Il se donne 1,70 m, une force de la nature ; Cassius Clay... en plus petit. « Mohamed Ali ! », corrige Abdel. Les mains comme des marteaux, il vous fracasse un crâne. Sans parler des nombreuses fractures de mandibule et autres. L'adversaire s'effondre sans qu'on ait vu le coup partir. Abdel est juste un peu plus pâle. Ça ne dure pas, il retrouve vite son sourire.

Un visage très carré, une mâchoire importante : il déchire la viande d'un coup de dent, ingurgite trois kilos de mouton ; une véritable machine à broyer. Un menton volontaire, des petits yeux vifs et souriants, toujours en mouvement. La boule à zéro, rasé de près, soigné, bien sapé de vêtements de marque.

Abdel parle peu de son passé de mauvais garçon. Avec les années, je découvre une partie de cette adolescence turbulente.

J'avais remarqué qu'il était capable de piquer un 100 m avec une rapidité fulgurante.

« Vous auriez dû continuer à faire du sport.
— J'en ai plus besoin !
— Et pourquoi donc ?
— Un 100 mètres, c'est très utile quand vous avez les flics au cul !
— ...
— Eh oui ! Il y a toujours une bouche de métro dans les 100 mètres, après vous êtes tranquille !
— Ça ne vous a pas empêché de vous faire gauler ! »

Il m'avait avoué, quelques années après son embauche, avoir fait de la prison.

« Seulement quelques mois, précise-t-il.
— Quelle était donc la bêtise ?
— Oh ! Juste une petite bijouterie ! On s'est fait serrer, toute la bande. »

Je devais faire la connaissance de la « bande » lorsque Abdel les recruta pour notre entreprise de location de voitures. Au moins on était sûr qu'ils connaissaient bien la police !

Comme il aime provoquer, il n'hésite pas à raconter l'anecdote à mes amis de la haute : « Vous comprenez, les prisons, l'hiver, c'est chauffé, c'est confortable et vous avez la télé ! » Le sujet qu'il préfère en présence de mes amis est le système social français : « Pourquoi voulez-vous que je travaille, j'ai le RMI, les allocations logement, les soins gratuits... Non, c'est bien la France, dit-il. Faut pas que ça change. »

Je peux voir à la tête de mes convives qu'il recrute largement pour les rangs du Front national. Il accentue son côté tricheur, truand. Certains amis, en catimini, s'inquiètent de la présence d'un tel personnage à mes côtés : « Ma grande spécialité, c'est la tombée de camion. Il s'agit, insiste-t-il, de récupérer un camion qui a été volé, de répartir la marchandise entre les membres de l'équipe et de l'écouler *fissa*. On n'accepte pas les chèques ! »

Je le soupçonne d'avoir continué cette activité. Je me suis vu proposer maints parfums de marque, téléphones, ordinateurs portables, chaînes hi-fi, téléviseurs, et j'en passe.

« Abdel, vous savez bien que je ne peux pas accepter ce genre de trucs.

— Non, je vous assure, c'est de la bonne qualité ! »

Il m'a offert pour mon anniversaire, emballé dans un paquet cadeau de la Fnac, un superbe juke-box qui contient deux cents CD. Je peux ainsi écouter ma musique classique quatre jours durant. Il me tend le reçu, et, malicieux : « En cas de problème pour la garantie » ; un vrai cadeau !

« Abdel, vous n'en avez pas marre d'être toujours hors la loi ; vous fréquentez les maquereaux, les receleurs, les dealers... »

Il m'interrompt :

« Attention, moi je ne fais pas dans les filles, ni dans la drogue. C'est contre mes principes religieux. »

Il ne boit pas, il ne fume pas, pour le reste, il a une certaine tolérance.

Il confesse à Mathieu Vadepied, directeur artistique du film *Intouchables*, qui réalise un documentaire sur les protagonistes – acteurs et originaux –, avoir fait dix-huit mois de prison pour vol ; un peu plus sérieux qu'une bijouterie !

Je suis alité depuis plusieurs jours ; Laurence, mon assistante, prend une lettre sous dictée. Deux policiers se présentent dans ma chambre : « Nous voudrions vous poser quelques questions au sujet d'un individu qui a été flashé cette nuit ; le véhicule est inscrit à votre nom dans nos fichiers.

— Mais certainement, mon commandant. »

Il me tend une photo d'Abdel dans une de mes jolies voitures.

« Ah oui, je la reconnais. Laurence, voulez-vous bien regarder dans la cour si la Jaguar bleue est là ? »

Laurence, qui a compris le jeu :

« Non, monsieur, votre voiture n'est pas là.

— Mais enfin ce n'est pas possible, elle aurait été volée ?

— Je ne sais que vous dire.

— Vous connaissez cet individu ?

— Non. Vous avez une idée de son nom ? Et vous, Laurence ? »

Laurence se penche, innocente :

« Non, monsieur, je vous l'assure. »

La maréchaussée n'est pas dupe, mais devant l'état du tétra, soufflant sa douleur, la secrétaire en minijupe tirée à quatre épingles, dans ce décor, ils s'effacent : « Écoutez, si jamais vous avez des nouvelles de votre voiture ou de cet individu, n'hésitez pas à nous appeler.

— Très bien, messieurs ; merci de votre visite. »

Abdel pleure de rire lorsque je lui apprends l'anecdote.

« J'ai été flashé sur les berges à plus de 150 !

— Bravo Abdel... Et la voiture ?

— C'est tout ce qui reste, elle a heurté un mur », dit-il en me tendant les clés.

Il grimace aussi de douleur ; il s'est fracturé le bassin et portera deux prothèses de hanche, mais il tient debout.

Lors de l'émission *Vie privée, vie publique*[1] de Mireille Dumas, Abdel relate l'anecdote de la voiture. Madame Dumas, ébaudie : « Dites-moi que

---

1. Janvier 2002.

ce n'est pas vrai ! » Je confirme à ma grande honte. Abdel en remet une couche : « Il y en a eu beaucoup d'autres ! »

L'étalage était un peu déplacé face à la misère quotidienne des handicapés. Abdel et la nuance !

Abdel et les voitures, c'est un roman en lui-même : il est toujours en excès de vitesse, en sens interdit, collé à la voiture de devant, ne s'arrêtant pas aux feux, les yeux fermés et j'en oublie. Il se surnomme « Ayrton Abdel ».

Un jour, nous partons pour Dangu suivre les travaux d'un corps de bâtiment du XVIIIe siècle que je rénove. Abdel « gère » le chantier. La Rolls-Royce file à près de 200 km/heure sur l'autoroute.

« Elle peut faire mieux, j'en ai encore sous l'accélérateur.

— Abdel, ne collez pas aux voitures devant vous et gardez les yeux ouverts, s'il vous plaît !

— Merde, il y a des flics au péage, repère-t-il, on leur fait le numéro du Samu ? » dit-il en inclinant mon siège électrique.

Le gendarme demande à Abdel de se ranger sur le bas-côté. Les yeux fermés, je fais mon numéro. « Vous étiez à 205.

— Il y a urgence, Monsieur fait une crise d'hypertension. »

Je gémis dans mon coin. Abdel me soulève la main et la relâche pour souligner la paralysie.

« Si on ne débouche pas la tuyauterie dans une minute, il va avoir la tête qui explose », dit-il en pointant ma carte d'invalidité. Hésitation et consultation du collègue. Ils reviennent avec leurs motos, tous feux allumés et nous ouvrent la voie à vive allure vers l'hôpital de Vernon. « Qu'est-ce qu'on rigole », jubile Abdel.

À l'hôpital, un des motards alerte les urgentistes. Abdel installe les coussins antiescarre sur le brancard et me sort de la voiture sous les regards interloqués de la maréchaussée.

« Vous n'avez pas un oreiller pour lui maintenir la tête ? » demande-t-il au brancardier. À la chemise blanche : « Il faut lui faire un cathéter sub-pubien, c'est un blocage vésical. »

Il m'administre moult claques sur le visage pour faire revenir le sang. Les gendarmes saluent en se retirant. Pas de réponse d'Abdel qui s'empresse : « Abdel, n'en profitez pas », je marmonne, et plus fort : « Qu'est-ce qui s'est passé, Abdel ? J'ai mal au crâne...

— Ah ! Vous revenez à vous, monsieur Pozzo ? C'est rien, ça a dû se débloquer avec le transfert. »
Se tournant vers l'infirmier :
« Pouvez-vous m'ouvrir la portière ? »
Il me repositionne dans le carrosse.

Pour la petite histoire, nous visiterons ensuite le chantier entrepris par « l'équipe » d'Abdel, dans la superbe écurie du XVIIIe de notre propriété. Les boiseries d'époque avaient été découpées et servaient de combustible pour le méchoui installé dans la grande cheminée – aussi d'époque. Les nouvelles vitres qui avaient été installées ne résistaient pas aux intempéries et gondolaient déjà ; un valide ne pouvait se rendre au premier étage sans heurter méchamment sa tête dans l'escalier. « C'est pas un problème pour vous, et pour les autres, y aura toujours un fauteuil de rab. »

La cuisine n'était pas accessible depuis la salle à manger et nécessitait un détour par l'extérieur, quant à ma salle de douche, la porte avait été montée à l'envers et ne permettait pas son accès en fauteuil, et j'en passe ! J'arrêtai immédiatement le chantier.

Au retour, pour changer : « Abdel, vous dormez, vous êtes trop près de la voiture devant vous.
— Vous inquiétez pas ! »

Et pour la énième fois sur cette même route, Abdel emboutissait la voiture de devant qui avait ralenti.

Je comprends l'air incrédule de Mireille Dumas.

Les Capucines[1] de Rivière-du-Loup

Rien ne va plus. L'hiver parisien s'étire, douloureux. Mon visage est boursouflé d'allergies, le moral dans les chaussettes ; je ne quitte plus le lit, les rideaux sont tirés. Seule la musique envahit un esprit inerte, sans horaires, sans visite. Le testament musical de Richard Strauss – les quatre derniers lieder – passe en boucle, céleste. Abdel prévient le cousin Antoine, toujours présent dans les moments difficiles. Je pleure sans doute ; juste mal. J'ai oublié. Abdel me recouvre d'une serviette mouillée, une pochette de glaçons sur la tête. Je disparais.

Antoine consulte le groupe d'amis et propose une retraite à l'embouchure du Saint-Laurent, dans un petit monastère proche de Rivière-du-Loup, tenu par des Capucines.

---

1. Religieuses franciscaines observant la règle de sainte Claire.

« En quinze jours d'agapéthérapie, "thérapie par l'amour" en grec, précise mon cousin (Abdel se frotte déjà les mains), l'individu, quelles que soient les blessures et les erreurs de son passé, se libère dans un climat de paix, de discrétion et de partage.

— Abdel, on reste au-dessus de la ceinture, s'il vous plaît.

— Va pour les Capucines ! » s'enthousiasme-t-il.

J'ai informé les Capucines de la présence d'un infidèle, indispensable à mon séjour.

Une chaîne de télévision évangéliste canadienne qui fête ses dix ans m'avait invité à intervenir. Elle m'avait déjà interviewé à Paris. L'émission, pas très catholique, fut retransmise plusieurs fois au Canada : l'aristo tétra dans son bel hôtel particulier et son franc-parler passait bien. Je confirme ma présence à leur show dont la date coïncide avec la fin de notre retraite au monastère.

Pendant le vol, Abdel réclame trois plateaux.

Il est chargé de louer une voiture à notre arrivée à Montréal ; il revient avec ce qu'il a trouvé de plus gros, une Lincoln continentale, limousine aux vitres teintées. Il neige sur Montréal où nous devons passer une nuit. Il propose un dîner sur l'avenue un peu chaude de la ville ; il repère un Kentucky Fried Chicken, s'empiffre de poulet et mate les poules qui défilent sur le trottoir. Je lui interdis de se faire raccompagner à l'hôtel ; il me répond, vexé, qu'il n'a jamais eu besoin de payer pour ses prestations.

Le lendemain, départ aux aurores pour parcourir mille kilomètres à vitesse d'escargot. Il branche le régulateur de vitesse et somnole tout au long de cette autoroute interminable. Nous sommes maintenant sur une petite route enneigée qui longe le Saint-Laurent ; la nuit est tombée, Abdel est perdu, incapable de comprendre les indications des autochtones. Enfin, au milieu de nulle part, plongeant sur le fleuve, nous découvrons une longue bâtisse en bois. Nous nous garons, une vieille sœur capucine – tête d'Abdel ! – dont l'ordre a fait vœu de pauvreté – et de chasteté, Abdel ! – nous accueille en bure et sandales dans la neige. Il y a quelques voitures, plus modestes, déjà garées ; la nonne semble surprise par le carrosse et ses occupants. Il déplie le fauteuil roulant et m'extirpe de mon siège ; moment de panique de la sainte femme lorsque je suis saisi de contractures. La mère supérieure n'a jamais eu affaire à des pèlerins de notre confrérie ; elle annonce les règles strictes à observer : silence, l'étage réservé aux femmes – coup d'œil d'Abdel ! –, horaires. La chambre d'Abdel est surmontée d'un panneau « Ici réside Dieu ». « Normal », commente Abdel. Ça ne s'annonce pas sous les meilleurs auspices !

Le programme de la journée est spartiate : lever 7 heures (5 h 30 pour nous), extinction des feux 22 h 30.

Abdel s'ennuie ; il ne sait pas à quel saint se vouer — quel sein se dévouer, dirait-il ! — tant l'endroit est isolé, la neige épaisse, et la visibilité réduite par un brouillard dense qui durera tout notre séjour. Il n'ose pas trop s'éloigner, en cas de défaillance de ma part, ce qui m'arrivera à plusieurs reprises. Le jour il traîne, la nuit il court la gueuse. Ce ne sont pas les interdits et les portes fermées qui lui résisteront.

Nous sommes une cinquantaine de « patients ». Dès la première réunion, je prends conscience que ces hommes et femmes de tous âges sont de grands blessés de la vie. Derrière leur apparence « normale » se cachent des drames qu'ils traînent pour la plupart depuis leur petite enfance : incestes, pédophilie — parfois du fait du curé de leur paroisse —, viols et j'en passe. J'ai vu le troisième âge s'effondrer en pleurs : il leur aura fallu plus de cinquante ans pour avouer leur souffrance. Je suis frappé par la compassion qui règne. Ils ne souffrent pas physiquement, ils souffrent d'exister avec leurs secrets. Nous sommes entre persécutés ; il suffit qu'il y en ait un qui se confesse pour que tous les autres se déballent. Je comprends l'usage de ces dizaines de boîtes de Kleenex disposées à travers la grande salle ; c'est du pain bénit pour les psys.

Allongé sur mon fauteuil inconfortable, recouvert d'un drap blanc dont Abdel a décidé de m'affubler (il m'avoue avoir été impressionné par une image, dans sa chambre, de la mise au tombeau du Christ dans son linceul), je suis le seul à ne pas pleurer sur moi-même. Souffrir de l'absence et des douleurs, c'est de la rigolade en comparaison de toutes ces horreurs enfin exprimées. Impressionnés par la paralysie, le drap blanc, mon silence, les autres n'osent pas m'approcher. Petit à petit ils viendront, surtout les femmes, se confier à moi : je suis disponible, on sait où me trouver (!), j'ai tout mon temps, et j'écoute. De temps à autre, je relance d'un mot le flot de paroles de délivrance de mon interlocutrice. Je suis le psychanalyste allongé et la patiente, valide, se penche et s'épanche.

Au repas, pendant cette heure censée être silencieuse, notre table, très prisée, est devenue le lieu de réunion de ces dames ; celles qu'Abdel a fréquentées la nuit, celles que j'ai écoutées. La mère supérieure nous convoque et nous demande de respecter la règle de la méditation. Peine perdue ! Pendant les heures de repos, nous nous retrouvons à une dizaine dans ma chambre et les éclats de rire ont remplacé les prières. Les sœurs ont définitivement baissé les bras et passé par pertes et profits cette session. Abdel semble avoir rendu vie aux jolies dépressives ; je reste en contact avec nombre de ces dames encore aujourd'hui. Je me suis attendri sur une jeune mère de famille qui vivait à Chibougamau, dans les grandes forêts du Nord, et en était à sa cinquième session. Son accent, inouï et inuit, ajoute à son charme.

Ces quinze jours m'ont reconnecté.

Au retour nous nous arrêtons dans un immense stade de hockey sur glace, pour retrouver la chaîne de télévision évangéliste. Il y a plus de cinq mille « fidèles ». Ils manifestent bruyamment leur approbation, sifflent sans retenue les intervenants qui les lassent. J'assisterai aux témoignages d'un ancien champion de hockey saisi d'une révélation toute fraîche puis d'une chanteuse populaire qui se meurt d'un cancer et fait un tabac. Un ring de boxe est installé au centre du stade. J'indique à Abdel qu'il doit me faire pivoter toutes les cinq minutes : malgré les multiples caméras et écrans géants, je veux m'adresser à chacun d'entre eux.

Le propriétaire de la sainte chaîne et son petit ami, que nous avions reçus à Paris, nous annoncent avec titre et *tutti quanti*. Abdel demande à l'éphèbe d'assurer le transfert du fauteuil sur le ring. Il me soulève dans ses bras et me hisse avec beaucoup moins de difficultés que ce gentil garçon avec mon fauteuil. L'entrée théâtrale d'Abdel impose le silence à ces milliers de chahuteurs. Je n'ai rien préparé.

« Je m'adresse tout particulièrement à mes frères de fauteuil, à tous les handicapés, c'est-à-dire à vous tous car nous sommes tous des handicapés de la vie. »

Applaudissements nourris, une partie de la salle est debout (sauf les gars en fauteuil bien sûr !). Je leur parle de l'enfant privilégié que j'ai été, de Béatrice, des leçons de la vie. Je préfère les richesses de ma paralysie à celles de ma classe : j'ai l'impression de vivre plus intensément, d'être enfin humain.

Abdel a minuté la chorégraphie ; nous avons droit à une *standing ovation* pendant les cinq minutes que prendra mon évacuation du ring ; de nombreux fauteuils se sont déplacés sur l'allée de sortie pour pouvoir me saluer. Je passe d'interminables minutes à essayer d'embrasser une jolie tétraplégique ; tout a été dit par ses yeux qui pleurent. Nous remercions les organisateurs et nous éclipsons, épuisés, avant de prendre l'avion de retour.

La petite fille Espérance

Je reviens du Canada sans plus de foi qu'à l'aller, avec la conviction que nous aspirons tous – croyants ou non – à l'Espérance.

« Dieu ? », telle est la question qui ne m'obsède pas. Je n'en ai ni le goût, ni la disposition du cœur, de l'âme. La solidarité, la fraternité de notre condition me feraient partager les rites ou l'appartenance à une communauté, des handicapés, des croyants – pourquoi pas ?

La Foi de Béatrice est dans l'éternité ; moi le handicapé, je découvre l'espérance dans nos misères, dans des petits riens de chaque instant qui contiennent en eux un possible mieux.

Handicapés, réjouissez-vous car l'espérance vous est naturelle.

« Mais l'Espérance, dit Dieu, voilà ce qui m'étonne.

Moi-même.

Ça, c'est étonnant.

Que ces pauvres enfants voient comme tout ça se passe, et qu'ils croient que demain ça ira mieux [...]

Mais c'est d'espérer qui est difficile. (À voix basse et honteusement.)

Et le facile, et la pente, est de désespérer et c'est la grande tentation[1]. »

Combien d'amis en fauteuil ai-je perdu de désespoir ?

Un monde sans espérance, c'est l'enfer.

« Ah, mon Dieu, lui aussi était maintenant une tombe ! Et son épitaphe ! Voyons ! Quel est le mort qui dort là ? Inscription d'enfer ! "Ci-gît l'Espérance". Silence, silence[2] ! »

À nous de serrer les rangs entre les « passions inutiles[3] » et la persévérance, fruit de l'Espérance.

*

---

1. Charles Péguy, *Le Porche du mystère de la deuxième vertu*, 1912.

2. *Figaro au cimetière* de Mariano José de Larra (il se suicida l'année suivante, à vingt-six ans.)

3. Jean-Paul Sartre.

Un groupe d'amis s'était réuni autour de Béatrice pour lire les Écritures et prier. Nous avons continué après sa mort.

La Bible, c'est pas du gâteau. Le malheur et les souffrances y sont présents à chaque page. Les infirmités, la mort de ses propres enfants, la stérilité, les persécutions des ennemis, l'humiliation sous toutes ses formes, la solitude, l'abandon et l'ingratitude des amis, l'infidélité de l'être aimé, le scandale et la prospérité des méchants, les meurtres, les guerres, voilà le terrain même de l'existence. Dans le Livre de la Révélation[1], c'est plus vrai que nature.

Un de mes amis, qui venait d'hériter d'une fortune faramineuse, m'interroge sur la compatibilité de la richesse et de la morale chrétienne. Abdel intervient :

« Écoutez, si vous ne savez pas quoi en faire, n'hésitez pas, je saurai !

— Et vous Abdel, vous croyez en Dieu ?

— Oui, mais je n'ai plus le temps de pratiquer, je suis pratiquement pratiquant. Je garde la Foi, mes coutumes, mes traditions. La religion, c'est la base de nos valeurs morales, dit-il (quel chemin parcouru !). Je n'aime pas ceux qui pensent à Dieu seulement quand ils en ont besoin. Maintenant, que la religion ne vienne pas m'empêcher quoi que

---

1. Le Livre de la Révélation est l'Apocalypse selon saint Jean.

ce soit ; la religion n'a jamais interdit de faire quelque chose, et souvent les gens se cachent derrière elle pour ne pas faire ce qu'ils ont à faire. »

Amen !

Les Consolantes

Consoler en latin signifie « maintenir entier » ; je dois mon intégrité aux femmes.

Abdel aime les femmes bien en chair ; après usage, il me les propose avec commentaires et notes. « Ça n'est pas ma tasse de thé, Abdel. »

Je sais de quoi je parle : j'ai consommé, bien malgré moi, un « cadeau » d'Abdel.

La musique occupait la chambre obscure, les névralgies, mon corps. Abdel passe la tête : « J'ai une aspirine pour vous (il s'efface pour laisser entrer "deux airbags"). Bonne nuit... »

Elle s'appelle Aïcha et sans se formaliser me rejoint en tenue d'Ève. Elle s'est lovée dans mon épaule. Nous n'échangerons pas deux mots. Elle est attentionnée et ne semble pas déroutée par mon état. Sa présence me tranquillise. Enfin je m'assoupis.

Une cavalière somptueuse me chevauche et me ramène à l'écurie quelques mois plus tard, éreinté. Une femme abandonnée me materne à l'excès trop longtemps.

Un voisin oisif m'envoie, après avoir lu *Le Second Souffle*, une courtisane ; Abdel pouffe de rire derrière la porte pendant que la « masseuse » travaille mes oreilles, entre autres.

Les rencontres d'une mulâtre, fille de princesse malienne et de marin suédois, ont accompagné mes nuits blanches. Elle-même se surprenait de mes exigences.

Une grande walkyrie agitée m'emmène ; elle me propose de la poudre. Elle se détend et chaloupe interminablement, ivre à la dérive. Elle s'endort, recroquevillée.

Et enfin Clara. Elle a connu Béatrice à Larmor-Plage lors de mon hospitalisation en Bretagne. Elle m'appelle à Paris un jour de désespoir. Elle passera la nuit, quinze jours puis deux ans en alternance. J'ai retrouvé dans son innocence toutes les sincérités de mon âme égarée. Elle m'a fait oublier mes appétits désobligeants. Je lui parle tant ; concentrée sur les mots qui s'infiltrent, elle m'interrompt d'un baiser. Je m'enivre à son attention.

Mon abandon séduit sa solitude. Elle retrouve ses rêves d'adolescente ; les années de trahison s'effacent et elle espère à nouveau. Elle s'insinue à travers les annexes mécaniques de ma condition pour se satisfaire des lambeaux de mon apparence. Sa candeur m'émeut et l'abandon de ses sens à mon corps défait instille une reconnaissance triste et apaisée. Bientôt le souffle de sa quiétude mesure ma nuit soulagée.

Je la regarde dans son tailleur bleu roi et des songes amoureux effleurent mon épuisement. Elle m'accompagne dans les allées du parc. Elle ne sait où se positionner autour de ce corps. Je lève la tête pour la dévisager. Elle m'embrasse, les yeux fermés.

Cette nuit, les battements du cœur sur mon cou rythment ses images ; j'ai ressenti nos jeux affaiblis. Cette émergence paresseuse ralentissait nos corps. Elle se déroule comme un nuage. Sa main lente caresse le sein alourdi. Nous nous retrouvons dans son élan maintenu à l'extrême de ma participation attentive. Elle se retient jusqu'à partager ma paralysie ; l'onde imperceptible jusqu'au soupir de ses yeux. Blottie, enfin apaisée, les lèvres entrouvertes, elle me sourit pour que je ne pleure pas, murmure des tendresses. Elle accepte mes contractures comme gage de mes ardeurs. De ce corps déraciné, un code nouveau pour nos amours.

Ses absences me trouvent sans réaction. Je confesse mon impuissance et j'attends à nouveau. Je n'alimente plus. Je fatigue d'inutilité.

Je lui écrirai.

*

« Clara,

Couché. Je redoute votre silence définitif. Votre beauté aurait un sens nouveau, non pas appétit mais douce liaison avec nos jours égarés. J'aspire à cette tranquille continuité.

Inventons-nous un avenir plausible. Vous seriez allongée à mes côtés, nos corps distants, compagne sans effusion, présence impalpable. Lorsque cette infime distance vous serait insupportable, vous viendriez poser votre tête sur mon cou ; peut-être votre corps sur le mien, insensible. Vous fermeriez vos yeux sur cette étreinte froide et vous berceriez à nouveau à vos sens regrettés.

Comment exiger ce voyage hésitant ? Tristesse de l'imaginaire.

Recentrez-moi. Je serai docile. »

Fronts d'acculturation[1]

Abdel ne veut rien devoir à personne ; je suis conciliant par la force des choses, je dépends des autres. « Ne soyez pas péremptoire ; tout n'est pas blanc ou noir, Abdel, un peu de nuance pour comprendre la réalité. »

Il adore provoquer. Il explique à mon frère, informaticien, qu'il y a une erreur dans son programme ; Abdel ne sait pas ouvrir un ordinateur ! Jubilation du trublion.

Devant un parterre de handicapés, il affirme à l'un d'entre eux, suspendu à des poternes : « C'est plus facile pour un handicapé de trouver un boulot que pour un Arabe. » Stupéfaction ! « Je rigole, bien sûr ! »

Et toute la salle de s'esclaffer.

---

1. En ethnologie, processus de disparition de la culture d'origine par contact avec une autre culture.

La philosophie « abdélienne » : tout est foutu. La mort est une fatalité, le reste, c'est de la comédie. Surtout pas d'engagement politique : « Ça sert à rien ; tous des pourris !

— Et alors les jeunes musulmans qui se font tuer pour la liberté et la justice ?

— Oui mais c'est pas celles de chez vous où tout le monde gruge, les banlieues brûlent, on laisse les vieux crever seuls, il y a du cul partout, chacun pour soi, alors moi, j'essaie d'en tirer le max, je fais ma place et tant pis si ça casse pour les autres. »

Il y a du vrai. Je relance :

« Mais Abdel, vous êtes un parfait exemple de l'Occident ! Le chacun pour soi, ça sert les intérêts du bourgeois. Plus vous ne pensez qu'à vous et pas aux autres et plus vous êtes vulnérable. »

Perplexité d'Abdel !

Abdel s'offusque devant l'art abstrait que je collectionne : « Un luxe de "petits grands bourgeois". S'il faut un interprète pour qu'on m'explique, c'est qu'il y a un problème. »

Un jour d'exposition de Zao Wou-Ki, je m'extasie devant cette trace qui restera de l'artiste : « Je peux vous laisser d'autres traces si vous voulez !

— Abdel, vous avez raison, l'art pour l'art, sans engagement, c'est presque tout l'art contemporain. Mais dans le lot, il y a des artistes qui touchent, qui rassemblent autour d'eux, qui sont accessibles ; même à vous, Abdel.

— Accessibles à ce prix-là ? Qu'est-ce qu'ils touchent ! Nous n'avons pas les mêmes valeurs ! »

Un jour que j'organise dans les salons une exposition d'un jeune artiste, polytechnicien, qui doit confondre algorithme et art : « Je peux vous faire le même avec un zéro de moins.

— Là Abdel je vous suis, mais sa copine est bien jolie, ça fait la moyenne.

— Chère comme moyenne ! »

Abdel n'écoute pas de musique ; il finira par prendre plaisir à Mozart et Bach.

Je donne en concert à la maison *La Jeune Fille et la Mort* de Schubert avec le quatuor Psophos, constitué de quatre charmantes interprètes : « C'est pas mal ce truc-là, très XVIᵉ, dit-il en se réveillant à la fin du concert. »

Un des sujets de confrontation est notre appréciation de la femme qu'Abdel a longtemps diminuée :

« Elle bouffe ma liberté, insupportable ! Elle est là pour la fermer.

— Abdel, une femme, ça se respecte.

— Respecte ? Disons que c'est pas à nous de les respecter, mais à elles de se faire respecter. Il y a l'art et la matière, je préfère la matière. Vous c'est le R.O.M.A.N.T.I.S.M.E, je suis pour la carrosserie !

— Abdel, la femme crée le lien dans l'humanité.

— C'est criminel de faire ça à un enfant », dit-il après une hésitation.

Et de rajouter, définitif :

« Dieu ne peut pas être une femme, vous l'imaginez ayant ses règles tous les mois ! Ça fait pas sérieux ! C'est nécessairement un mec ! »

Abdel ne veut surtout pas s'attacher :

« Jamais deux fois la même !

— Abdel, il va falloir créer une famille, s'inscrire dans une histoire. »

Ce n'est qu'une fois apaisé et rassuré sur sa place dans la société qu'Abdel a pu constituer une famille.

*

« Clara,

Merci pour cette belle lettre pointilliste. Quelle chance vous avez de pouvoir rêver la lumière et les couleurs. Je ne rêve plus, je n'ai que des espoirs. Souvent les mots se contractent pour ne devenir qu'un son. Je reste les yeux ouverts, Béatrice au-dessus de moi.

Stridence.

Pourquoi faut-il que ces moments extrêmes illustrent notre survie ?

Le temps s'est relâché, le corps s'estompe, les phrases flottent dans la poussière lumineuse.

La pianiste effleure ses touches. Je suis avec mes absents ; il faut revenir, maintenir ma tête vers le haut alors que tout me recroqueville. Enfin l'horizontale apaisante, le noir s'installe, habité.

Jusqu'à quand ?

Revoir quelques êtres comme vous, chère Clara. Ces moments éphémères accompagnent mes absences. »

Rien ne va plus !

« Monsieur Pozzo, pourquoi on monte pas une affaire ?

– Dans cet état ? Je ne suis plus dans le circuit et je ne suis pas sûr d'en avoir envie.

— J'ai un ami garagiste qui "s'en fait des en or". Tout ça, c'est de la fraîche.

— Ça, Abdel, ça n'est pas du business, c'est de la magouille. Pour réussir, il faut du nouveau et comme nous ne sommes ni l'un ni l'autre ingénieur, il faudrait trouver un service. »

Abdel sourit :

« Vous voyez que vous avez encore les réflexes. »

Enfin une insomnie où je cogite sur du concret. Comment proposer quelque chose d'unique, de pertinent, de durable, raisonnable dans mon état, et qui soit dans les cordes d'Abdel ? Ses connaissances en mécanique se résument à ses nombreux accidents. Un an durant, il a livré des pizzas. Pourquoi ne pas déposer la voiture de location au domicile du client ?

Abdel s'enthousiasme : « La livraison, c'est pas un problème. Il faut couvrir toute la région parisienne, 24 heures sur 24, 7 jours sur 7. J'ai les gars qu'il faut.

— Mais Abdel, il va falloir faire les trois-huit !

— Mes gars ne fonctionnent pas comme ça ! »

Je demande à rencontrer l'équipe : Yacine, vingt ans, un géant débonnaire ; Youssef, même âge, un Noir filiforme du désert algérien ; Djebar, le plus âgé, silencieux ; et enfin Alberto, un Italo-Marocain de vingt-cinq ans ; et leurs trois pitbulls.

Après leur départ, je m'enquiers : « Où avez-vous trouvé ces énergumènes ?

— On a tous fait un peu de taule ensemble. »

Dix mille prospectus sont distribués par l'équipe. Abdel, promu directeur des opérations, aboie ses instructions. Devant mes réserves, il rétorque que c'est comme ça qu'on gère les employés dans son pays. D'ailleurs ceux-ci ne bronchent pas ; sans doute par crainte de la force de leur patron et sa propension à l'utiliser avant même d'argumenter.

Nous obtenons une superbe demi-page dans *Le Parisien* et sommes submergés d'appels téléphoniques. L'affaire est partie sur les chapeaux de roues ; les choses se gâtent rapidement. Les quatre sbires sont hirsutes ; Abdel ne leur laisse guère le temps de se reposer. Lui-même ne se rase plus.

Laurence pose un ultimatum à Abdel : « Soit vos lascars rangent leur souk avant que je n'arrive au bureau le matin, et leurs trois pitbulls se soulagent dans la rue et pas sur ma moquette, soit vous trouvez quelqu'un d'autre ! »

Je suis conduit pour la première fois au bureau. Soudain, notre voiture est bloquée par un véhicule venant de la droite. Abdel s'extirpe et invective le « responsable » de la situation. Celui-ci baisse la vitre et indique qu'il vient de la droite. Première erreur et gigantesque claque. Le type plonge dans la boîte à gants et en sort un immense couteau. Erreur fatale ; Yacine saisit le bougre par le col et l'éjecte vers Abdel qui lui assène un formidable coup de poing. Le malheureux est laissé saignant, affalé sur le volant.

« Vous êtes sûr que tout ceci est nécessaire ?

— Avec les abrutis il n'y a pas d'autre solution. »

« Vous avez mauvaise mine, monsieur Pozzo, dit Laurence en m'accueillant. Je ne suis pas sûre que vous résistiez au bureau. » Dès l'entrée, l'odeur est intenable et les molosses déchaînés. Abdel aboie un ordre et les trois fauves se couchent. À droite, un réduit sert de cuisine ; les assiettes sales s'empilent, le thé à la menthe mijote. La standardiste répond, un foulard sur le nez. Les cartons de déménagement ne sont toujours pas vidés, les dossiers jonchent le sol. « Les meubles arrivent demain, explique Abdel.

— Ça fait quinze jours qu'ils arrivent demain », rétorque Laurence.

Ce qui devait être mon bureau est le dortoir de l'équipe. Les couvertures sont à même le sol, entre les immondices. Réunion d'urgence et savon pour ces messieurs.

Laurence présente les résultats : taux d'utilisation et de réclamation très élevé. Elle en profite pour signaler plusieurs véhicules à la casse.

Je suis fatigué, à bout d'arguments. Sur le trottoir d'en face, je repère une de nos Peugeot 605, le capot enfoncé. « C'est pas un problème, dit Abdel, le garagiste va nous arranger ça avec son expert véreux. »

Une copine me téléphone pour relater son expérience. Un grand gaillard se pointe en jeans et baskets avec près d'une heure de retard ; la voiture est dégueulasse et sans essence et il a le culot de lui demander de le déposer dans Paris !

Un autre jour, Laurence me transmet l'appel du commissariat de Lyon. Abdel a été arrêté avec son complice : les policiers ont découvert dans le coffre un passager abîmé. « Le client a trois jours de retard, précise Abdel. Mes copains l'ont repéré à Lyon et on vient récupérer notre voiture. »

De toute évidence, il s'agit d'une connaissance d'Abdel qui a abusé de sa confiance. Le tuméfié disculpe Abdel auprès de la police pour éviter d'autres représailles. Je retrouve le soir même Abdel triomphant : « Abdel, c'est quoi ce foutoir ? On ne fournit pas les truands et, par contre, vous êtes prié de soigner les bourgeoises.

— Vous ne croyez pas si bien dire. Avant-hier, il a fallu que je donne de ma personne pour satisfaire une cliente un peu grasse ! »

Je suis horrifié et inquiet.

Après avoir fait le point avec Laurence, constaté que 30 % du parc automobile est « en réparation » et subi la litanie de plaintes, j'annonce la fermeture de la société. La plaisanterie aura duré six mois et coûté fort cher.

Un rien inconscient, je suggère à Abdel de réfléchir à un projet qui serait plus dans ses cordes. Il ne mettra pas longtemps à revenir avec une proposition : « Il faut acheter à la bougie[1] des appartements occupés par des locataires, il y a des belles occases.

— Normal, puisque les loyers sont bloqués.

— C'est pas un problème. »

---

1. La vente à la bougie, également appelée vente à la chandelle, est une forme d'adjudication particulière qui consiste à enchérir tant que deux bougies sont allumées.

Abdel me hisse jusqu'à la salle des ventes. Silence des commissaires et des participants à notre entrée. Au premier appartement qui nous intéresse, j'incline la tête pour signifier mon enchère, comme je le fais à Drouot pour l'acquisition d'œuvres d'art. Devant l'absence de réaction des commissaires, Abdel bondit de son siège en vitupérant et soulevant mon bras, déclenchant des contractures généralisées : « Regardez, il a fait une enchère ! » Gros succès dans la salle.

Nous viendrons plusieurs jours de suite et achèterons cinq appartements dans les quartiers branchés. Abdel « gère » : il envoie ses sbires éjecter les locataires, fait bricoler les mises en état et « remplit » les lieux.

La comptabilité est inexistante, rien ne rentre, je revends.

*

« Clara,

Esquivez ces désarrois, modelez-moi simple et frugal de nos mémoires élaguées. Imposez vos limites à ma dispersion, encadrez-moi de vos gestes, cernez-moi de vos intentions, construisez-moi de mes débris. Désintégré, sans épaisseur, que puis-je vous proposer ?

Comme j'aimerais vos mains sur mon front, votre bouche pour me ressusciter en partie, réduit mais dense.

Chaque jour vos courriers me rendent la liberté, j'aime retrouver dans vos mots les sensations. Ce corps atone me refuse les instants passés, répertorions les moments présents.

Additionnons les lendemains pour nous composer un passé et nous aurons une mémoire commune, un horizon nouveau. »

Un monde en gésine[1]

Les valeurs de la chrétienté – l'altérité, la médi-tation, la frugalité – ont longtemps été celles de l'Occident. L'humanisme en est l'héritier. L'Occident marchand et financier les a oubliées. Elles se sont réfugiées auprès des plus miséreux.

Les six Commandements du tétra :

— Le handicap, c'est l'absence non du corps mais de l'autre. Découvre-le.

— Le silence libère. Tais-toi.

— Hors de la douleur, reste juste le temps pour l'essentiel. Ne te disperse pas dans le futile.

— Tu n'es pas seul. Découvre la Consolation.

— La paralysie suscite la patience. Attends !

— Que nous sommes fragiles ! Sois fraternel, solidaire et simple.

---

1. Mise bas des animaux.

L'unique Commandement de l'Occident marchand :

— Le polysensualisme[1] s'exacerbe. Toujours plus Moi.

Un excès d'orgies, de paradis, de frénésies, de bruits et d'oublis.

L'accident m'a fait découvrir l'heureuse barbarie : la misère de la solitude, les chômeurs qui s'estropient, l'absence de perspectives pour les jeunes, l'accumulation des richesses... J'ai perçu le durcissement d'un système devenu financier, le temps rétréci qui se mondialise, détruisant les protections sociales et familiales.

Dans les cours que je donne en classes préparatoires aux écoles de commerce – Abdel y dort –, le message passe bien :

— Vous créez mieux la richesse en respectant les valeurs naturelles au handicapé. Cherchez bien, elles sont aussi les vôtres.
— Ils ne peuvent continuellement s'approprier les richesses. (Toujours plus de profits non répartis tuent la demande : c'est du sabordage.) L'accord n'est valable que si les deux parties sont gagnantes ; les fruits de l'entreprise sont partagés,

---

1. Culte du corps, recherche du confort, multiplication des sensations.

les richesses de la nation redistribuées auprès des nécessiteux.

— Face aux puissances d'argent, n'acceptez pas l'atomisation ; constituez-vous en partis, syndicats, associations... Respectez la rigueur des chiffres.

— Obtenez justice contre les pouvoirs opaques et sans foi ni loi pour clamer la réalité et rétablir le droit.

— Utilisez les nouvelles technologies de l'information pour interpeller.

— La mondialisation n'est pas celle du capital mais des instances citoyennes.

Debout, les invalides !

*

« Clara,

Je n'ai plus livré mon âme à la beauté du monde. Mes chairs sont en décembre. Je me suis perdu sur le chemin de ma ferveur première à mon abandon d'aujourd'hui. Je suis indifférent à tout. Retrouvons cette source que je pressens fraîche à vos côtés.

Je revendique auprès de vous ces rêves. Prêtez-les-moi ; je vous offrirai mon identité discontinue. J'aspire à recommencer, abolir le temps épais de la souffrance et de la démission.

Si vous m'ébauchez, nous pourrons continuer en transparence. »

Jeux de rôles

Imaginons un monde inversé : la norme serait dans la sérénité, l'incongru dans l'agitation.

Le dimanche, des cohortes de fauteuils déambulent dans le jardin d'Acclimatation ; les valides excités sont derrière les barreaux. Les enfants apprécient en particulier la visite du gros hirsute qui tourne avec frénésie sur lui-même, la main écrasant un téléphone rose sur une oreille cramoisie. Il hurle une litanie à son petit voisin haut perché sur ses talons. Ils ont tous deux plusieurs montres à chaque poignet, une cravate défaite sur un survêtement. Ils pissent en poursuivant leurs gesticulations ; c'est le moment préféré des enfants qui applaudissent de la tête.

À la pleine lune, pendant que ces affolés se figent enfin dans leur sommeil médicamenteux, le peuple des invalides se lève et la Terre promise est à eux. C'est la nuit des étreintes. La femme retrouve la souplesse des hanches et l'homme, sa raideur. Le paradis est cet improbable possible ;

pas trop fréquent au risque d'en perdre le goût, pas trop rare pour éviter le désespoir.

Imaginez ne plus parler quelques heures ; la mélodie serait perceptible et chaque mot, à l'avenir, pesé. Absentez-vous dans le coma ; au réveil, la Beauté apparaîtrait ! Essayez une mort provisoire, la vraie serait aimable après une existence dégustée.

L'absurde me soulage. Demain, c'est mon jour d'oubli. Peut-être Dieu viendra-t-il me chuchoter son existence ; Béatrice, peux-tu intercéder pour qu'Il m'accorde une vie ample, exemptée de ma condition initiale ? Qu'il est futile de se dégager toute sa vie de ses pesanteurs ! Qu'Il insuffle à la naissance tous les génies. Quelles stupides empreintes ! Histoires, lâchez-nous enfin !

*

« Clara,

Cette nuit j'ai rêvé burlesque.

Une gigantesque femme, quelques cheveux noirs en tire-bouchon, une bouche obscène, est allongée sur le dos dans l'herbe grasse. Elle met au monde un diablotin. Son gnome court déjà. Un sourire brutal traverse son visage poupon. Il se bat. Sa mère, relevée de ses couches, s'est mise en branle. Le sol tremble de sa lourde course. Elle bave d'appétit pour sa progéniture et les bras en avant, hurle mon prénom derrière ce bambin qui course une petite, la queue déjà raidie.

La vision s'élargit sur des créatures agitées, certaines s'arrêtent pour accoucher les jambes écartées, d'autres se battent, d'autres enfin s'étreignent. La Terre, ceinturée de la lune vibrionnante, tourne autour du soleil avec des yeux langoureux ; le bel astre rougit à une autre étoile. J'ai enfin découvert la loi universelle du désir. La queue de l'homme alimente le lait de la mère.

Que je suis heureux d'être grivois. Ne m'en voulez pas ; avec vous, je retrouve la Comédie. »

Le parrain généreux

Il pleut sur Paris depuis des semaines ; je reste couché, brûlé, abrasif, découragé par le silence.

« Vous savez qu'après-demain c'est l'anniversaire de votre filleul, l'Amerloque. Il va avoir dix-huit ans, précise Abdel, il faut faire quelque chose.
— Abdel, s'il vous plaît, occupez-vous-en. »

John est le fils de très bons amis que nous avions connus avec Béatrice à Chicago. Je l'héberge pour son année sabbatique à Paris.

Le lendemain : « Tout est organisé et j'ai prévu un spectacle de danse du ventre. »
Un peu inquiet, j'articule :
« Pas de trop mauvais goût, Abdel.
— Ne vous inquiétez pas. »

Le soir de la fête, il m'habille de mon smoking, nœud papillon, pochette blanche. Je suis allongé sur le fauteuil électrique pour ne pas tourner de l'œil. Les ados, rameutés par les enfants de la famille, sont sur leur trente et un. Que du beau monde, les meilleures tribus de France et de Navarre. Le champagne coule à flots, les petits-fours circulent, une sono hurle. Je transpire, au bord de l'évanouissement. Abdel lève mes jambes à la verticale. La jeunesse s'est écartée, mal à l'aise.

Je reprends mes esprits et m'adresse à la centaine d'invités. Abdel offre le cadeau, une caméra numérique. Applaudissements. « Je vous demande maintenant de vous asseoir tous contre les murs ; Abdel a eu la gentillesse de nous préparer un spectacle. »

Celui-ci lance une musique orientale. Grand prêtre, il ouvre les deux battants du salon voisin. Rien ne se produit ; il augmente le volume. Arrive en coup de vent, non pas une danseuse du ventre, mais une somptueuse créature, certes orientale, entièrement nue. Stupéfaction, cris d'horreur dans la salle ; ils sont tétanisés ; la naïade fait le tour, se dandine devant les visages cramoisis. John, assis à mes côtés, me regarde, furieux : « Uncle, t'as pas fait ça ? »

La créature surgit devant moi ; ni chaud ni froid ; même pas envie de rire. Elle a compris que j'étais le patron et se déhanche recto verso. Je lui signifie que c'est l'anniversaire de mon voisin. Elle s'assoit sur ses genoux ; il résiste trente secondes puis bondit de son siège en l'éjectant d'une bordée d'injures américaines. C'est le signal qu'attendent les autres, un rien hypocrites, pour hurler. Les garçons s'enfuient dans le froid du jardin et les filles, plus tièdes, jacassent.

« Uncle, c'est très gentil votre fête. Heureusement mes parents ne sont pas là. Ce n'est pas la peine de leur envoyer des photos de la soirée. » Il m'embrasse avec affection et rejoint la troupe. Abdel me ramène dans mes appartements. Je croise la « charmante », habillée de son manteau de fourrure, et escortée de son « manager », un vrai maquereau.

Abdel les reconduit.

« Ils ont une belle Mercedes. Comment trouvez-vous sa carrosserie ?
— Abdel, il me semblait vous avoir demandé quelque chose de bon goût.
— Mais c'est pas une pute.
— Vous expliquerez ça à John ; en attendant, merci pour votre aide et couchez-moi. »

Je réclame une suite de Bach pour violoncelle.

Le lendemain, un ami – prince de son état – sera le seul à se manifester : « Dommage que nous n'ayons pas été invités ! »

J'ai le pétard bavard

Cette nuit, c'est pire. Le « cadeau » d'Abdel a choqué la galerie et ne m'a pas remis debout. Je gémis, Abdel réagit à l'interphone : « Ça va pas ? »

Je râle de découragement. Il m'habille, me pousse sur mon « baise-en-ville[1] », au milieu de la nuit, jusqu'à Saint-Germain-des-Prés. Il s'arrête devant chez Castel : « Ah non, Abdel, pas chez ces cons.

— C'est rien, j'ai une course à faire. »

À l'entrée, des pochtrons sapés. Abdel s'adresse à eux, me pointant du menton. Un mal rasé sort un paquet de cigarettes, en allume une et la tend. Abdel revient avec un grand sourire : « Tenez, fumez ça d'un coup !

— C'est dégueulasse, il ne peut même pas se payer une cigarette normale », je marmonne.

---

1. Petite valise qui peut contenir ce qu'il faut pour passer la nuit hors de chez soi ; c'est ainsi que j'appelle mon fauteuil manuel, facilement pliable dans le coffre d'une voiture.

Abdel m'installe aux Deux Magots, la tête me tourne.

« C'était quoi cette saloperie ?

— Un peu de shit, ça peut pas faire de mal.

— Enfin Abdel, j'ai jamais touché à cette merde. T'aurais pu me demander.

— Ah, ça commence à faire son effet !

— Abdel, t'as pas assuré avec John. Ça se respecte un jeune, une femme aussi.

— Mais c'était une blague.

— Dix-huit ans c'est pas une blague, c'est tendre un gamin. Tu l'aurais pas fait pour ton gosse. »

Je suis parti sur ma lancée. Abdel laisse passer.

« D'accord, dans cette société, c'est que de la baise, mais ces jeunes, pourtant, ils sont pas contre, ce sont des amoureux. La femme, c'est privé, c'est pas de la marchandise étalée. Ça s'admire et ça dure...

— Dur. Là je suis d'accord, pas vous ?

— ... quand t'auras une famille, tu te battras pour eux, tu leur feras passer ce que tu crois bien, et surtout, surtout, la beauté. Abdel, pas la beauté des airbags, la beauté de la famille, du lien, d'être grand...

— Vous voulez dire long ?

— ... généreux avec les plus faibles, des amis sur qui on peut compter, enfin tout ce qui n'est pas vulgaire, pas ta pétasse. Tu verras, dans quelques années, tu aligneras les gars parce qu'ils reluquent ta meuf.

— Pari ? Tope là.

— Très drôle, Abdel. Ah, c'est vrai que ça fait du bien votre truc. Faudra m'en trouver.

— Pas de problème. »

J'assisterai à une livraison d'une brique de résine pure : Abdel siffle de sa voiture et un paquet est jeté par la fenêtre du troisième étage. Par temps d'orage, j'userai de ce « remède » jusqu'aux beaux jours du Maroc, le pays de production.

*

« Clara,

J'aimerais que vous répondiez à mes fragments épars, confronter mes absences à votre réalité. Fournissez-moi votre respiration pour que cette mémoire droguée esquisse un chemin. Peut-être m'aiderez-vous à trouver le fil. Si au moins je pouvais reprendre l'odyssée.

Donnez-moi une aspiration ! Confrontez-moi dans vos réponses, aidez-moi. Depuis sa mort, j'ai abandonné. Si je pouvais éprouver à travers le labyrinthe obscur des douleurs et des légèretés truquées la faible étincelle d'une nouvelle vie.

Découvrirons-nous sous l'épaisse cendre d'une longue nuit la même âme troublée ? Ou le foyer reprendra-t-il ailleurs, éclairant d'une chaude lueur les jours qui restent ? »

Chauds les Maroc

Laetitia me recommande de passer les six mauvais mois de Paris sous des cieux plus clément. Abdel suggère Marrakech, le climat y est sec en hiver.

Il a tout « organisé ». À l'arrivée, une superbe Mitsubishi est mise à notre disposition par un de ses amis, roi du poulet marocain. Par contre l'appartement pressenti s'est volatilisé. « Pas de problème, j'ai une adresse. »

Nous nous frayons un chemin sur la place Jemaa el Fna. Il me pousse sur les pavés inconfortables et, dans une impasse, frappe à la porte d'une bâtisse anonyme. Une « blonde » nous accueille dans son riad ; nous avons le droit à mille courbettes : elle nous a vus à la télévision la veille[1]. Abdel fait le coq ; je demande à être couché, épuisé par le voyage. Je suis installé dans la grande

---

1. Rediffusion de *À la vie, à la mort*, produit par Mireille Dumas.

chambre du rez-de-chaussée ; les fenêtres en mou-
charabieh laissent pénétrer le froid. Abdel réclame
des chauffages.

Il est parti décharger la voiture. Une heure plus
tard, il n'est toujours pas revenu.

« Abdel, où en êtes-vous ? » je lui demande au
téléphone. « C'est rien, juste un petit problème à
régler, j'arrive. »

Réponse standard d'Abdel lorsqu'il est dans la
mouise. Une demi-heure plus tard :

« Je suis chez les flics ; j'en ai encore pour une
minute. »
Je sens mal la chose.
« Voulez-vous que j'intervienne ?
— Non, non, pas de problème. »

Mes douleurs se sont installées. Au bout d'une
éternité, le diablotin se pointe tout guilleret, la
main droite prise dans un bandage.

« Abdel, que vous est-il encore arrivé ?
— Ce n'est rien, je suis tombé sur un abruti du
parking qui m'a traité de sale Algérien. Il n'avait
pas voulu m'aider, il a pas eu sa pièce ! »

Encouragé par les copains, le gardien porte la
main sur Abdel. En retour, violent uppercut. Le
visage est ensanglanté et plusieurs dents sont
explosées.

« Une, dit Abdel en rigolant, s'est plantée dans mon poing.

— Mais pourquoi avez-vous été si long ?

— Ces salauds m'ont embarqué au poste. J'ai filé 500 dirhams au commissaire et c'est l'autre qui est en taule ! J'ai déposé plainte contre lui ; il en a pour quinze jours. »

Le lendemain, toute la smala du malheureux viendra implorer le pardon du justicier ; il refusera malgré mes appels à la clémence.

En guise de bonsoir, il éteint avec un :

« Ça devrait se réchauffer dans quelques heures ; moi je vais me chauffer la blonde.

— Abdel, faites pas l'imbécile, elle est avec quelqu'un. »

Je suis réveillé par un halètement furieux, entre-coupé de cris. Puis à nouveau, rien. Et ça recommence ! Une nuit hachée.

« Comment était la nuit ? demande Abdel au matin.

— Hachée, je réponds, ou à chier, comme vous voulez ! »

Lui, il a le sourire des bons jours.

« La mienne a été chaude !

— Mais enfin, Abdel, elle n'était pas seule !

— Il avait qu'à pas s'endormir, l'autre abruti.

— Est-ce que vous vous rendez compte du boucan que vous avez fait ? »

Je retrouve la fautive ; elle est hagarde, mais contient sa dignité. Abdel, innocent, précise : « Monsieur Pozzo, vous savez que Madame se marie la semaine prochaine ? »

J'ai du mal à garder mon sérieux.

En attendant de trouver un logement aménagé, nous avions décidé de visiter le pays. La traversée de l'Atlas enneigé est épique. « Abdel, quand la route est glissante, vous ralentissez avant le virage et vous contre-braquez quand vous partez en dérapage. » Il fait exactement le contraire et nous heurtons le mur de neige glacée ; le pare-chocs enfoncé bloque la roue. Il le redresse avec la manivelle du cric et repart sans un mot, vexé.

Après Ouarzazate, nous longeons la paisible oasis du Drâa. Abdel s'amuse dans les dunes du désert. Bien sûr, il s'ensable. Il faudra l'aide de trois chameliers et de leurs bêtes pour nous dégager. « On s'éclate, non ? » commente Abdel.

Nous remontons vers Fez, la superbe décatie, poussons jusqu'à la Méditerranée sur la frontière algérienne, Saïdia et sa grande plage. Abdel nous installe dans l'unique hôtel qui ait une chambre chauffée. On accède par l'extérieur de l'hôtel à un comptoir à alcool : bagarres assurées pour toute la nuit. Abdel n'est pas en reste.

Grand sourire à la réceptionniste : « Abdel, je vois que vous n'avez pas chômé.

— Ah non ! C'est pas le genre de la maison », rétorque-t-il, offusqué.

Nous déjeunons dans une paillote sur la plage. « L'été, il y a près de 200 000 MRE – Marocains Résidant à l'Étranger, précise-t-il – qui descendent bourrés de cash dans leurs belles BM ou Mercedes, et toutes ces gargotes font un fric pas possible ! »

Je sens le bougre en train de compter ses billets.

Nous aurons l'occasion de revenir quatre fois à Saïdia, rencontrer le grand Wali[1], les caïds, les banquiers, et surtout la belle réceptionniste ! Amal deviendra l'épouse d'Abdel. À ce jour ils ont trois enfants.

Retour à Marrakech où nous prenons nos quartiers d'hiver.

*

« Clara,

Dans cette belle ville les douleurs se sont réfugiées. J'avais survécu drogué. J'ai flotté, l'esprit à

---

1. Préfet.

l'unisson de ce corps largué. Les volutes de hachisch éteignaient tous les manques.

Au jardin, les palmiers inclinent mollement à la brise de l'hiver doux. L'air est cristallin ; j'aime inspirer cette fraîcheur dans mes poumons défoncés. Dans ma mémoire calcinée une lueur est apparue. J'ai fixé longtemps un désert de dunes chaudes. Une palpitation me parcourt comme le sable frémit. J'ai plongé dans cette nouvelle torpeur.

Je suis installé à la terrasse du café. Tout se brouille. Parfois les yeux s'obscurcissent et je disparais quelques instants. Je reviens sur un visage. Les belles jeunes femmes passent devant moi, étonnées et un peu inquiètes. Je m'efforce de les retenir par un sourire. Je vous vois parmi elles, je vous souris aussi. Je me laisse dériver. L'inconstance de ma réalité me ravit. Dans ces moments ambigus, l'instant s'efface. Les lointains se raccourcissent, les présents s'étirent ; les rythmes se confondent, gigantesques ou éphémères. Confusion enivrante. Nous nous croisons dans les nuées. Je m'assoupis au soleil. Je ne distingue plus le simultané de la séquence. Je suis approximatif. Ce n'est pas une folie, tout au plus un relâchement. La faible tension efface mes empreintes ; peut-être est-ce cela enfin la liberté. Je suis libre, je ne suis plus. Les limbes doivent être cette carence. Les Parfaits. »

La ville en roses

Une Marrakchie caresse, absente, la cuisse d'un étranger. Triste créature qui se perd dans des lointains provisoires. Ce beau peuple s'abîmera-t-il à notre société égarée ? Les maisons possèdent toutes leur parabole mensongère.

Savez-vous qu'ici le temps n'existe presque plus ; une rencontre du hasard décide de l'instant. Une longue rêverie accompagne l'ombre du palmier. Dieu décidera pour tout à l'heure. Pourquoi rechercher nos secondes pressées ? Les petits riens scandent le temps inégal.

Une lente cigogne remonte l'aère paresseuse.

*

Suffirait-il de souffrir tous ensemble, dans la réprobation muette des dieux, pour demeurer intact ? Existe-t-il un âge indéfini que le mal n'atteindrait plus ? Le règne de l'indolore efface-rait les martyrs.

*

J'ai retenu des femmes sans parole à mes côtés pour que leur parfum me maintienne.

Je sens un faible espoir dans le regard sans pitié d'un enfant. Son interrogation est gage de mon existence. Nous esquissons un sourire, je souhaite le soulager. Comment ose-t-on lui proposer le besoin, paradis du nécessiteux, comme seul horizon ? La frugalité, ton trésor.

*

Aimer l'autre sans nom, sans résurgence des troubles, survivre dans l'atonie du désert sur la tombe du nomade ? Ici, personne n'a vécu, hère passé, comme le bleu délavé de sa sépulture ; les rides à l'abri du masque jusqu'à la chute instantanée du dernier sable. Je frissonne à la brûlure du soleil ; des cigognes isolées traînent ; il n'est pas trop tard.

*

Les grappes de bougainvilliers joufflues, la cascade écarlate des rosiers grimpants, le chuchotement de la fontaine de zellige ocre, l'ombre frissonnante des oliviers enchanteraient mon quotidien.

Il n'y aurait enfin plus de révolte.

Je me déteste déjà dans cette complaisance. Il ne peut y avoir de rémission ; il faut rester dans la dissonance, le cri aride de l'enfant qui souffre, la plainte rauque de la mère déchirée, le hurlement de l'homme énucléé. Il me faut panser le monde. J'irai compatissant dans les bas-fonds relever les mourants, accueillir les orphelins, étancher les rebelles. Je rêverai dans les sons évanouis. Au petit matin, le bruissement des inconnus me trouvera aux aguets. Je choisirai dans la palette injuste l'acte inutile qui apaisera ma journée.

*

Toujours je me sens aimer. L'élan vers l'inconnue me ravit de la tristesse. Tous les matins une belle femme aux seins fermes passe devant mon palmier sans me regarder. Redressez-vous, jeune dame. Une autre fois, c'est le regard jade d'une Berbère que j'accroche intensément jusqu'à ce que les pas de l'habitude rompent le contact. Ailleurs je dis des mots incohérents à une rousse sombre qui s'éloigne dans un sourire. La magie de la femme me soulage.

*

Ce matin j'ai le cœur léger. J'ai envie de partir. Je suis neuf. La belle mosquée de la Koutoubia me domine. Des tourbillons de poussière s'élèvent. L'étreinte des chagrins se desserre. Je participe à la prière de l'imam. Les fidèles, trop nombreux,

s'agenouillent sur la chaussée. Les mendiantes
accroupies tendent leurs mains, chacune dans son
incantation. Je suis des yeux le cireur de chaussures qui s'annonce du bruit de sa boîte. Un
conteur fripé à la barbe blanche obtient un attrou-
pement. De temps à autre, un auditeur lève la main
d'un cri et quelque monnaie ; le rituel sans cesse
renouvelé de la promesse les maintient agglutinés.
Une dizaine de vieillards aveugles psalmodient à
l'unisson leur quête, les yeux chavirés au ciel. Les
gnaouas en transe renient avec véhémence leur
antique servitude, le pompon de leur taguia[1]
révolté dans l'arythmie. Les charmeurs de pythons
sont dans la même cadence.

Les moineaux tournoient avec les pigeons dans
la poussière et la fumée des échoppes de grillades.
Les vendeurs d'eau étirent le filet et les clochettes
agitées de leurs larges chapeaux rouges frappent
l'air vibrant. Je me sens bien dans cette multitude
anonyme. Je suis dans la danse sans remords.
S'incruster dans l'instant pour être dans le désordre composé, participer aux regards sans histoire,
se laisser dériver à la houle, vide de toute gravité ;
être au diapason de toutes les indifférences. Il faut
tronçonner le temps sans échelle, abandonner la
seconde immédiate pour plonger dans la nouvelle
sans regret ni attente, s'émerveiller de la répétition.
J'existe enfin sans mouvement, figé dans une
mesure étrangère ; j'ai effacé toutes mémoires, je

---

1. Coiffe du Gnaoua, membre d'une confrérie religieuse
du Sud maghrébin ; descendant des esclaves noirs africains.
Ils pratiquent un rite de possession syncrétique.

n'ai jamais été, je ne serai jamais plus, je suis, dense à l'instantané.

Une Néfertiti flotte sur la place, déesse de l'impossible ; les femmes se voilent, les hommes pleurent.

*

Derrière mes paupières, pour la première fois dans ma mémoire vierge, une lueur est apparue. J'ai fixé longtemps un désert de dunes chaudes. J'ai plongé dans cette nouvelle torpeur. Et j'ai vu, je l'ai vue. Pas vous.

*

« Clara,
Une enveloppe de ta belle écriture est arrivée. Ne m'en voulez plus. »

Lalla Khadija

Je l'ai vue alors que la foule se dispersait sous les trombes du ciel. Elle flotte sur la place entre les calèches abandonnées. Le hennissement des montures en déroute couvre parfois les nuées. L'allée des palmiers s'incline à son passage nonchalant. Elle semble glisser, menue, indifférente à la tourmente. Les fanions du palais royal claquent. Un rayon l'a inondée. Une enfant a tendu la main et elles ont disparu.

Quelques personnes se risquent sur la place ; un aveugle reprend sa litanie. Un marchand d'eau maudit l'ondée. J'ai dû rêver l'instant improbable. Dans le présent s'est immiscée une grâce. Depuis, j'attends son retour.

*

Les fièvres et les brûlures m'effacent. Un ami s'est inquiété de mon silence reclus et m'invite dans son riad. Je traîne allongé près de la fontaine du patio. De longs doigts frais ont caressé mon visage ; une mélopée m'absente. La belle à l'enfant remontait l'allée des chevaux cabrés. Son sourire enfin dévoilé, elle s'appelle Khadija, ses yeux sont noirs. La petite main de sa fille Sabah repose sur mes doigts. Je lui souris. Bonjour, je suis le parrain.

Fille d'Égypte et du Soudan, elle a hérité son profil incliné des bas-reliefs antiques. Elle a recueilli Sabah sur les rives du fleuve. Elle tissait de ses longues mains le sabra du désert lorsqu'elle fut enlevée par un roi almoravide qui mourut sur les murailles de Marrakech.

La belle du désert et l'enfant du fleuve sont tous les jours à mon chevet. Je raconte des histoires aux yeux noirs étonnés. Elle ne me comprend pas mais sourit ; Khadija l'oriente par un mot. Je demande à Sabah de chanter quelque chanson. Parfois je reconnais une comptine française et marmonne avec elle les paroles qui me restent. Sabah rit. De retour de l'école, elle me montre son cahier d'écriture, en khat arabi[1] et en lettres latines. Je la félicite pour son application. Un jour, elle m'a demandé quand je guérirai. « Cela prendra du temps, tu pourras m'aider. » Khadija l'installe à une table pour dessiner. Elle me prend la main, au début elle ne dit rien.

Khadija pose, délicate, sa tête au creux de mon épaule douloureuse. Sa main légère effleure ma joue. J'embrasse son front et ferme les yeux sur son parfum citronné. Elle s'est endormie. Je veille sur elle, ému de tant d'abandon. Un rayon de soleil lui ouvre les yeux ; elle me sourit et se resserre à

---

1. Calligraphie arabe.

mes côtés. Nous sommes restés, fragiles dans nos espoirs. Elle m'embrasse avec tendresse.

Nous sommes partis sur les bords du lac Lalla Takerkoust. Les neiges éternelles le cernent. Sabah se baigne ; nous dérivons ; des barques de pêche paressent au loin. Quelques mouettes volent encore. Dieu stagne. J'ai effacé Clara ; Béatrice est lumineuse. Khadija m'entraîne d'une main ferme dans les eaux fraîches.

J'ai trouvé au pied de l'Atlas une oasis d'oliviers centenaires. J'y construirai une demeure en pisé pour vous y accueillir. Nous donnerions des cours aux enfants dépenaillés du douar[1] voisin.

Elles sont devenues les compagnes.

---

1. Village.

L'Odyssée

Wijdane est suspendue à mon harnais de parapente. La voile – la même que j'avais il y a vingt
ans, bleu ciel et jaune soleil – est déployée derrière
moi sur le parvis du château de la Punta. La brise
chaude remonte du golfe d'Ajaccio.

« On y va ma fille ? »
Khadija est sur le côté :
« Faites attention !
— Pas de problème », je réponds, très « abdé-
lien ».

Je m'élance, la voile se gonfle sur nos têtes, un
léger coup de frein et nous voilà partis. « Wijdane ! Regarde la buse sur la gauche comme elle
monte ! On fait la course ? »

J'incline la voile. En contrebas, Béatrice est sur
le perron dans sa robe blanche, transparente, son
chapeau de paille au ruban fuchsia. Elle m'a
accompagné ainsi pendant toutes ces années
d'absence. À son bras, un panier de roses du jar-

din. Laetitia pousse le landau de son dernier-né, protégé d'une ombrelle. Sabah ne lève pas la tête de son livre. Robert-Jean se penche sur sa fiancée, à l'abri des châtaigniers en fleurs. En contrebas, la tour et la chapelle mortuaire.

Nous tournoyons dans l'ascendant. Wijdane rit aux éclats.

« Ma fille, c'est fou la vie !

...

C'est si bon la vie ! »

                                    Essaouira, août 2011.

Table

Deuxième partie
Béatrice

Troisième partie
Le saut de l'ange

Quatrième partie
Le second souffle

Table 257

LIVRE II
LE DIABLE GARDIEN

Le Livre de Poche s'engage pour
l'environnement en réduisant
l'empreinte carbone de ses livres.
Celle de cet exemplaire est de :
250 g éq. CO_2
Rendez-vous sur
www.livredepoche-durable.fr

PAPIER À BASE DE
FIBRES CERTIFIÉES

Composition réalisée par PCA

Achevé d'imprimer en mai 2012 en France par
CPI BRODARD ET TAUPIN
La Flèche (Sarthe)
N° d'impression : 69209
Dépôt légal 1re publication : mai 2012
Édition 2 : mai 2012
LIBRAIRIE GÉNÉRALE FRANÇAISE
31, rue de Fleurus – 75278 Paris Cedex 06